USBORNE

FIRST THOUSAND WORDS

IN HEBREW

Heather Amery

Illustrated by Stephen Cartwright

Revised edition by Mairi Mackinnon and Robert Cook

Picture editing by Mike Olley

Hebrew language consultant: Merav Yakir

There is a little yellow duck to look for on every double page with pictures. Can you find it?

Stephen Cartwright's little yellow duck made his first-ever appearance in *The First Thousand Words* over thirty years ago. Duck has since featured in over 125 titles, in more than 70 languages, and has delighted millions of readers, both young and old, around the world.

This revised edition first published in 2014 by Usborne Publishing Ltd, 83-85 Saffron Hill, London EC1N 8RT. www.usborne.com
Based on a previous title first published in 1979.

First published in America in 2014. AE

About this book

The First Thousand Words in Hebrew is an enormously popular book that has helped many thousands of children and adults learn new words and improve their Hebrew language skills.

You'll find it easy to learn words by looking at the **small labeled pictures**. Then you can practice the words by talking about the large central pictures. There is a guide under each word in Hebrew, showing you how to pronounce it. You can also **hear the words** on the Usborne Quicklinks website: just go to **www.usborne.com/quicklinks** and enter the keywords **1000 Hebrew**. There you can find links to other useful websites about Israel and the Hebrew language.

There is a **word list** at the back of the book, which you can use to look up words in the picture pages.

Remember, this is a book of a thousand words. It will take time to learn them all.

The Hebrew language

Hebrew is the original language of the Bible, which was composed between 2,000 and 3,500 years ago. Jewish people have written in Hebrew ever since, but it was only revived as a spoken language in the nineteenth century. The words in this book are in Modern Hebrew, which is spoken in the State of Israel – the only country in the world where Hebrew is an official language.

Reading and writing Hebrew

There are some important differences between the written forms of Hebrew and English. As you can see here, **Hebrew has its own alphabet**. On page 56 of this book you will find a guide to the alphabet, telling you how to pronounce each letter.

Unlike English, **Hebrew is read from right to left**. (The pronunciation guides in this book should still be read from left to right, as if they were English words.)

When you look at the Hebrew words in this book, you will also notice dots and dashes around the letters. These are used to show the vowel sounds. Normally, Hebrew is written without these signs, but books for beginners and children will include them.

The **pronunciation guides** have been made as simple as possible: in general, you just say what you see. There are one or two things to watch out for, though. ***ch*** is always pronounced like the **ch** in the Scottish word "lo*ch*," and never as in "*ch*eese." ***ay*** is always pronounced as in "w*ay*" or "p*ay*," but ***a'y*** – with a single **'** between the ***a*** and the ***y*** – should always be pronounced like the **y** in "m*y*" or "wh*y*."

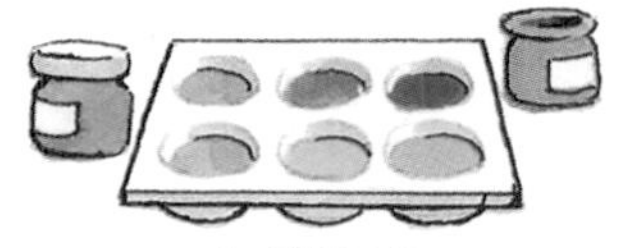

צְבָעִים
tzva'**eem**

בַּקְבּוּקִים
bakboo**keem**

דְּגֵי זָהָב
dgay za**hav**

מַסּוֹק
ma**sok**

פָּזֶל
pazel

שׁוֹקוֹלָד
shokolad

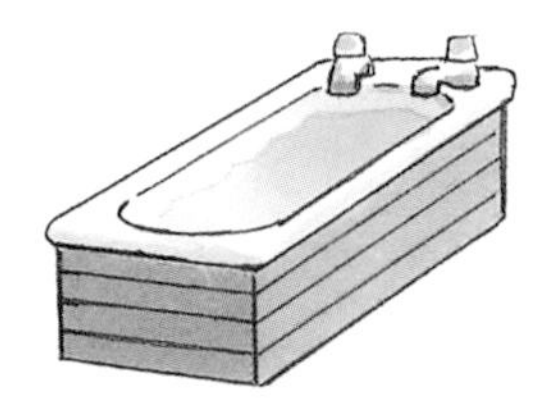

אַמְבַּטְיָה
am**bat**ya

בַּבַּיִת

ba-**ba'**yeet

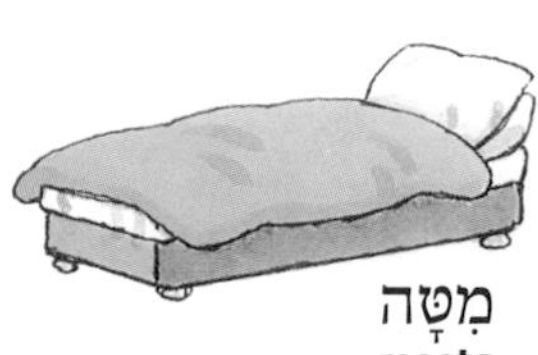
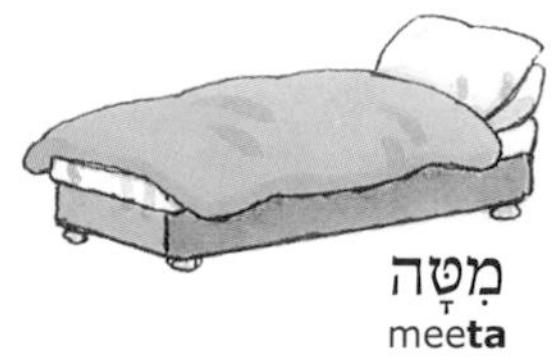

מִטָּה
mee**ta**

סַבּוֹן
sa**bon**

בֶּרֶז
berez

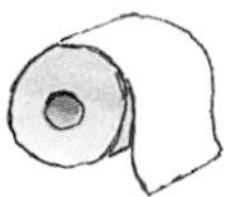

נְיַר טוֹאָלֶט
ne**yar** to'a**let**

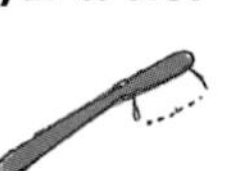

מִבְרֶשֶׁת שִׁנַּיִם
meev**re**shet shee**na'y**eem

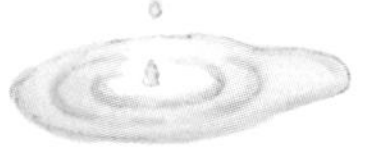

מַיִם
ma'yeem

אַסְלָה
as**lah**

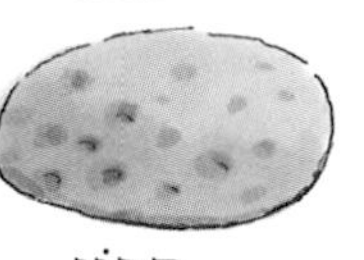
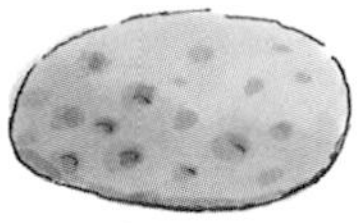

סְפוֹג
sfog

כִּיּוֹר
kee'**yor**

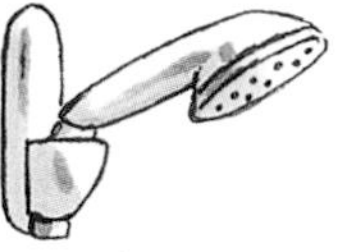
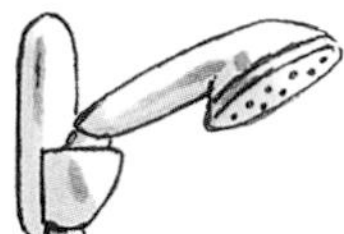

מִקְלַחַת
meek**la**chat

חֲדַר אַמְבַּטְיָה

cha**dar** am**bat**ya

חֲדַר אוֹרְחִים

cha**dar** or**cheem**

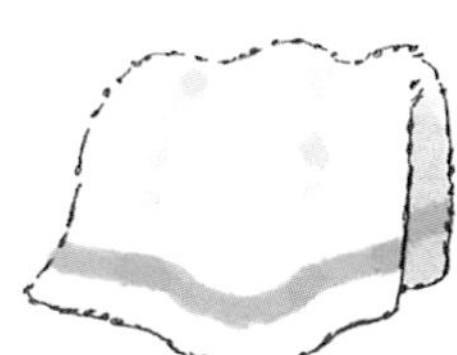

מַגֶּבֶת
ma**ge**vet

מִשְׁחַת שִׁנַּיִם
meesh'**chat** shee**na'y**eem

רַדְיוֹ
rad'yo

כָּרִית
ka**reet**

תַּקְלִיטוֹר
taklee**tor**

שָׁטִיחַ
sha**tee'**yach

סַפָּה
sa**pah**

כִּסֵּא
keeseh

שְׂמִיכָה
smeecha

מַסְרֵק
masrek

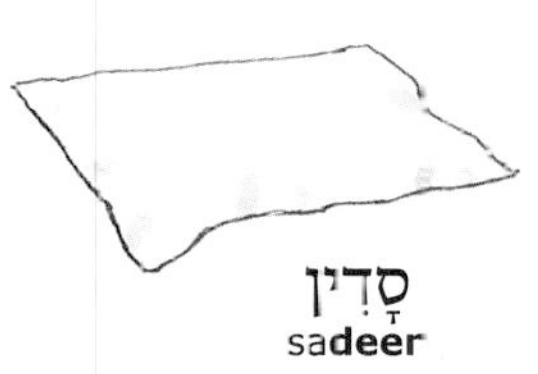

סָדִין
sadeer

מַרְבַד
marvad

אֲרוֹן בְּגָדִים
aron bgadeem

חֲדַר שֵׁנָה
chadar shena

טֶלֶוִיזְיָה
televeezya

שִׁדָּה
sheeda

מַרְאָה
mar'ah

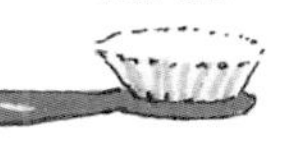

מִבְרֶשֶׁת שֵׂעָר
meevreshet se'ar

כְּנִיסָה
k'nee'sa

מְנוֹרָה
menorah

תְּמוּנוֹת
tmoonot

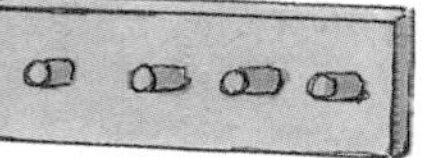

מִתְלֶה
meetleh

טֶלֶפוֹן
telefon

רַדְיָאטוֹר
rad'yator

פֵּרוֹת
perot

עִתּוֹן
eeton

שֻׁלְחָן
shoolchan

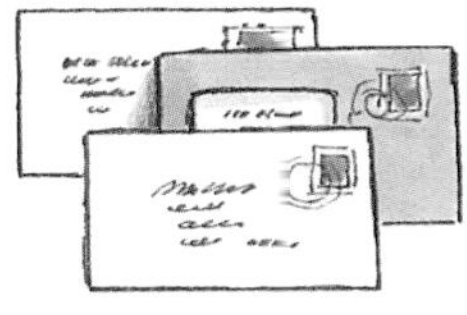

מִכְתָּבִים
meechtaveem

מַדְרֵגוֹת
madregot

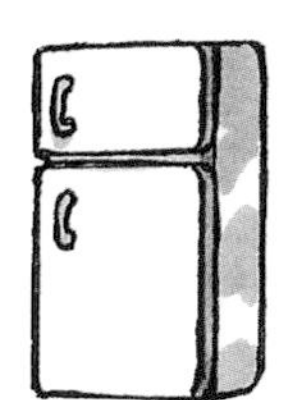

מְקָרֵר
meka**rer**

כּוֹסוֹת
ko**sot**

שָׁעוֹן
sha**'on**

שְׁרַפְרַף
shraf**raf**

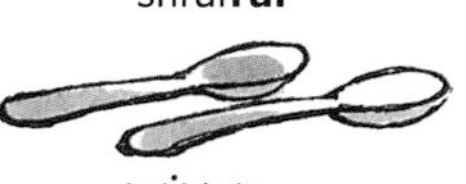

כַּפִּיּוֹת
kapee**'yot**

מֶתֶג
meteg

אַבְקַת כְּבִיסָה
av**kat** kvee**sa**

מַפְתֵּחַ
maf**te'ach**

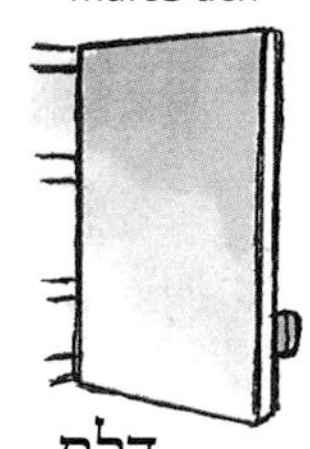

דֶּלֶת
delet

בַּמִּטְבָּח ba-meet**bach**

כִּיּוֹר
kee**'yor**

שׁוֹאֵב אָבָק
sho**'ev** a**vak**

6

סִירֵי בִּשּׁוּל
see**ray** bee**shool**

מַזְלֵגוֹת
mazle**got**

סִינָר
see**nar**

קֶרֶשׁ גְּהוּץ
keresh gee**hootz**

אַשְׁפָּה
ash**pa**

קוּמְקוּם
koom**koom**

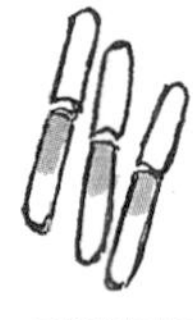
סַכִּינִים
sakee**neem**

מַקֵּל סְחָבָה
ma**kel** scha**va**

מַטְלִית אָבָק
mat**leet** a**vak**

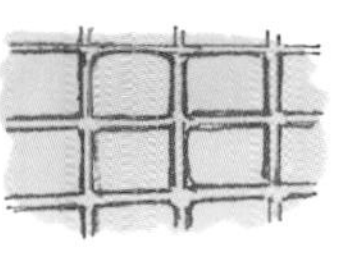
אֲרִיחִים
aree**cheem**

מַטְאֲטֵא
mata**teh**

מְכוֹנַת כְּבִיסָה
mecho**nat** kvee**sa**

כַּף אַשְׁפָּה
kaf ash**pa**

מְגֵרָה
mege**ra**

תַּחְתִּיּוֹת
tachtee**yot**

מַחֲבַת
macha**vat**

תַּנּוּר בִּשּׁוּל
ta**noor** bee**shool**

כַּפּוֹת
ka**pot**

צַלָּחוֹת
tzala**chot**

מַגְהֵץ
mag'**hetz**

מַגֶּבֶת מִטְבָּח
ma**ge**vet meet**bach**

סְפָלִים
sfa**leem**

גַּפְרוּרִים
gafroo**reem**

מִבְרֶשֶׁת
meev**re**shet

קְעָרוֹת
ke'**arot**

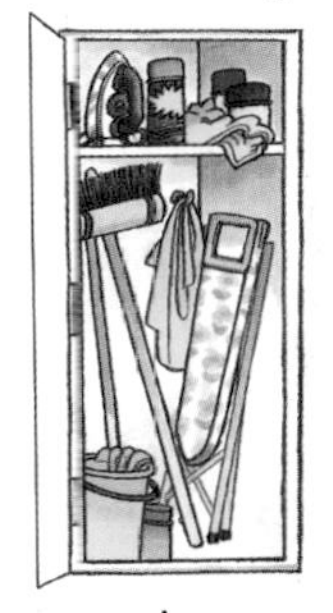
אָרוֹן
a**ron**

בַּגִּנָּה
ba-gee**na**

מַזְלֵף
maz**lef**

מְרִיצָה
meree**tza**

כַּוֶּרֶת
ka**ve**ret

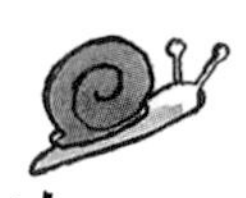
חִלָּזוֹן
cheela**zon**

לְבֵנִים
leve**neem**

יוֹנָה
yo**na**

אֵת
et

פָּרַת מֹשֶׁה רַבֵּנוּ
pa**rat** mo**sheh** ra**be**noo

פַּח אַשְׁפָּה
pach ash**pa**

זְרָעִים
zra'**eem**

צְרִיף
tzreef

תּוֹלַעַת
to**la**'at

פְּרָחִים
pra**cheem**

מַמְטֵרָה
mamte**rah**

מַעְדֵּר
ma'a**der**

צִרְעָה
tzeer'**ah**

דְּבוֹרָה
dvora
כַּף לַגִּנָּה
kaf lageena
עֶצֶם
etzem
גָּדֵר חַיָּה
gader cha'ya
קִלְשׁוֹן
keelshon
מַכְסֵחָה
machsecha
שְׁבִיל
shveel
עָלִים
aleem
עֵץ
etz
עָשָׁן
ashan
זַחַל
zachal
מַגְרֵפָה
magrefa
קַן צִפּוֹר
kan tzeepor
מַקְלוֹת
maklot
עֵשֶׂב
esev
עֶגְלַת תִּינוֹק
eglat teenok
יְרָקוֹת
yerakot
מְדוּרָה
medoorah
צִנּוֹר הַשְׁקָיָה
tzeenor hashkaya
חֲמָמָה
chamama

בְּבֵית הַמְּלָאכָה

be-**vet**
ha-mla**cha**

בְּרָגִים
bra**geem**

מֶלְחָצַיִם
melcha**tza'y**eem

נְיָר זְכוּכִית
ne**yar** zchoo**cheet**

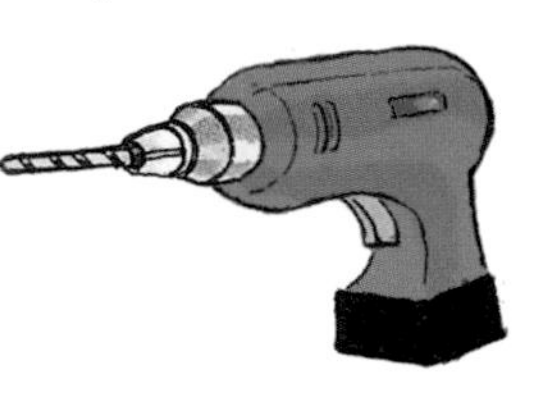
מַקְדֵּחָה
makde**cha**

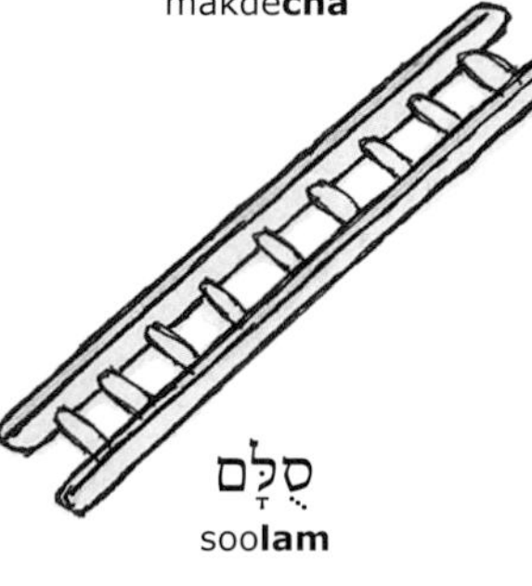
סֻלָּם
soo**lam**

מַסּוֹר
ma**sor**

נְסֹרֶת
ne**so**ret

לוּחַ שָׁנָה
loo'ach sha**na**

תֵּבַת כֵּלִים
te**vat** ke**leem**

מַבְרֵג
mav**reg**

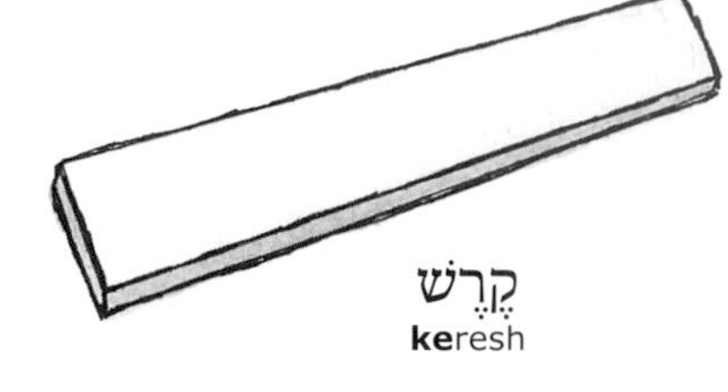
קֶרֶשׁ
keresh

שְׁבָבִים
shva**veem**

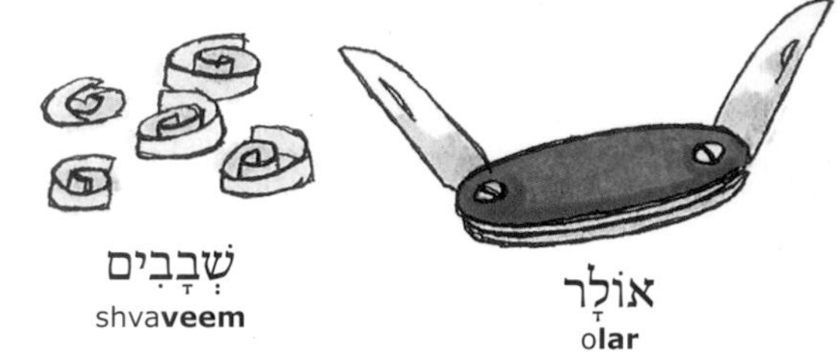
אוֹלָר
o**lar**

נְעָצִים
ne'**atzeem**

עַכָּבִישׁ
aka**veesh**

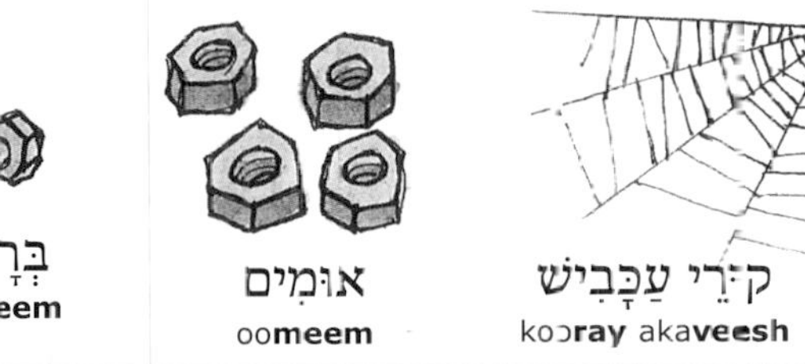

בְּרָגִים גְּדוֹלִים
bra**geem** gdo**leem**

אוֹמִים
oo**meem**

קוּרֵי עַכָּבִישׁ
koo**ray** aka**veesh**

חָבִית
cha**veet**

זְבוּב
zvoov

גַּרְזֶן
gar**zen**

סֶרֶט מִדָּה
seret mee**da**

פַּטִּישׁ
pa**teesh**

פְּצִירָה
ptzee**ra**

קוּפְסַת צֶבַע
koof**sat tze**va

מַקְצוּעָה
mak**tzoo**'a

עֲצֵי הַסָּקָה
a**tzay** hasa**ka**

מַסְמְרִים
masme**reem**

שֻׁלְחַן עֲבוֹדָה
shool**chan** avo**da**

צִנְצָנוֹת
tzeentza**not**

בָּרְחוֹב ba-**rchov**

אוֹטוֹבּוּס
otoboos

חֲנוּת
cha**noot**

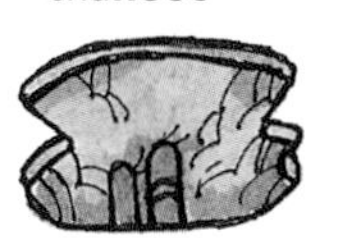

בּוֹר
bor

בֵּית קָפֶה
bet ka**feh**

אַמְבּוּלַנְס
amboolans

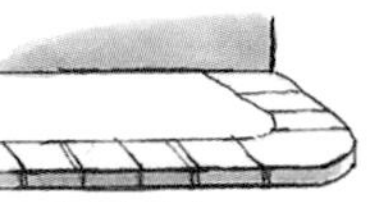

מִדְרָכָה
meedra**cha**

פֶּסֶל
pesel

אֲרֻבָּה
aroo**ba**

גַּג
gag

מַחְפֵּר
mach**per**

בֵּית מָלוֹן
bet ma**lon**

אִישׁ
eesh

מְכוֹנִית מִשְׁטָרָה
mecho**neet** meeshta**ra**

צִנּוֹרוֹת
tzeeno**rot**

מַקְדֵּחָה
makde**cha**

בֵּית סֵפֶר
bet **se**fer

מִגְרַשׁ מִשְׂחָקִים
meeg**rash** meescha**keem**

מוֹנִית
mo**neet**

מַעֲבַר חֲצָיָה
ma'a**var** chatza**ya**

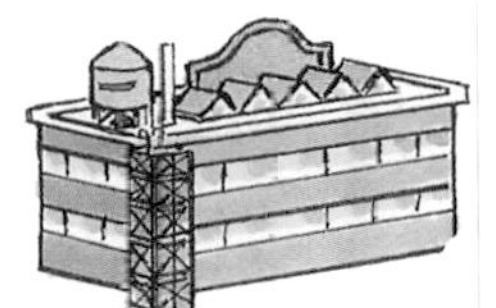
בֵּית חֲרֹשֶׁת
bet cha**ro**shet

מַשָּׂאִית
masa'**eet**

רַמְזוֹר
ram**zor**

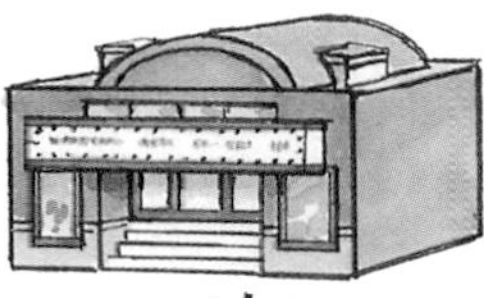
קוֹלְנוֹעַ
kol**no**'a

מְכוֹנִית מִסְחָרִית
mecho**neet** mees'cha**reet**

מַכְבֵּשׁ
mach**besh**

קָרוֹן נִגְרָר
ka**ron** neeg**rar**

בַּיִת
ba'yeet

שׁוּק
shook

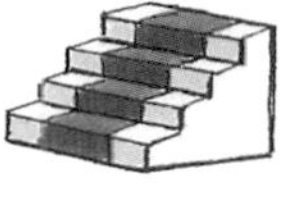
מַדְרֵגוֹת
madre**got**

אוֹפַנּוֹעַ
ofa**no**'a

אוֹפַנַּיִם
ofa**na'y**eem

מְכוֹנִית כִּבּוּי
mecho**neet** kee**boo**'ee

שׁוֹטֵר
sho**ter**

מְכוֹנִית
mecho**neet**

אִשָּׁה
ee**sha**

פָּנַס רְחוֹב
pa**nas** re**chov**

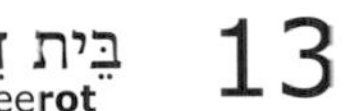
בֵּית דִּירוֹת
bet dee**rot**

בַּחֲנוּת הַצַּעֲצוּעִים

ba-chanoot ha-tza'atzoo'eem

מַפּוּחִית פֶּה

mapoocheet peh

רַכֶּבֶת צַעֲצוּעַ

rakevet tza'atzoo'a

קֻבִּיּוֹת

koobee'yot

חֲלִילִית

chaleeleet

רוֹבּוֹט

robot

מַחְרֹזֶת

machrozet

מַצְלֵמָה

matzlema

חֲרוּזִים

charoozeem

בֻּבּוֹת

boobot

גִּיטָרָה

geetara

טַבַּעַת

taba'at

בֵּית בֻּבּוֹת

bet boobot

מַשְׁרוֹקִית

mashrokeet

קֻבִּיּוֹת

koobee'yot

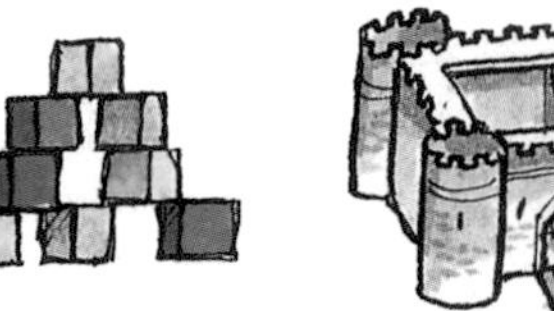

טִירָה

teera

צוֹלֶלֶת

tzolelet

חֲצוֹצְרָה

chatzozra

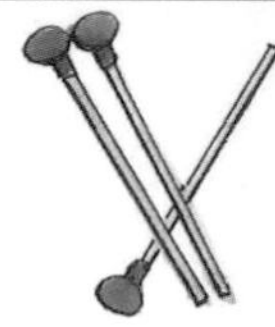

חִצִּים

chee'tzeem

קֶשֶׁת
keshet
מַצְנֵחַ
matzne'ach
סִירָה
seera
צִבְעֵי אִפּוּר
tzeev'ay eepoor
מַכְבֵּשׁ
machbesh
מַסֵּכוֹת
masechot
מְכוֹנִית מֵרוֹץ
mechoneet merotz
סוּס נַדְנֵדָה
soos nadneda
קֻפַּת חִסָּכוֹן
koopat cheesachon
גֻּלּוֹת
goolot
בֻּבּוֹת עַל חוּט
boobot al choot
פְּסַנְתֵּר
psanter
אַנְשֵׁי חָלָל
anshay chalal
עֲגוּרָן
agooran
קְלָפִים
klafeem
תֻּפִּים
toopeem
חַיָּלֵי עוֹפֶרֶת
cha'yalay oferet
צִבְעֵי מַיִם
tzeev'ay ma'yeem
טִיל
teel

בַּפַּרְק ba-**park**

נַדְנֵדוֹת
nadne**dot**

סַפְסָל
saf**sal**

אַרְגַּז חוֹל
ar**gaz** chol

פִּיקְנִיק
peekneek

עֲפִיפוֹן
afee**fon**

גְּלִידָה
gleeda

כֶּלֶב
kelev

שַׁעַר
sha'ar

שְׁבִיל
shv**ee**l

צְפַרְדֵּעַ
tzfar**de**'a

מַגְלֵשָׁה
magle**sha**

רֹאשָׁנִים
rosha**neem**

אֲגַם
a**gam**

גַּלְגִּלִּיּוֹת
galgeelee**yot**

שִׂיחַ
see'ach

תִּינוֹק
tee**nok**

סְקֶטְבּוֹרְד
sketbord

אֲדָמָה
ada**ma**

עֶגְלַת טִיּוּל
eg**lat** tee**yool**

נַדְנֵדָה
nacne**da**

יְלָדִים
yela**deem**

תְּלַת אוֹפַן
tlat o**fan**

צִפֳּרִים
tzeepo**reem**

גָּדֵר
ga**der**

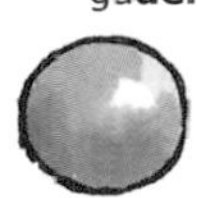

כַּדּוּר
ka**door**

סִירַת מִפְרָשׂ
see**rat** mee**fras**

חוּט
choot

שְׁלוּלִית
shloo**leet**

בַּרְוָזוֹנִים
barvazo**neem**

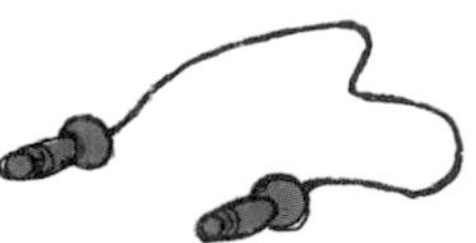

דַּלְגִּית
dal**geet**

עֵצִים
e**tzeem**

עֲרוּגַת פְּרָחִים
aroo**gat** pra**cheem**

בַּרְבּוּרִים
barboo**reem**

רְצוּעָה לְכֶלֶב
retzoo'**ah** le**che**lev

בַּרְוָזִים
barva**zeem**

חַיּוֹת cha'yot
כָּנָף
kanaf
נֶשֶׁר
nesher
סוּס יְאוֹר
soos ye'or
פַּנְדָּה
panda
רַגְלֵי חַיָּה
ragley cha'ya
עֲטַלֵּף
atalef
גּוֹרִילָה
goreela
קֶנְגּוּרוּ
kangooroo
קוֹף
kof
קַרְחוֹן
karchon
פִּינְגְּוִין
peengween
זָנָב
zanav
זְאֵב
ze'ev
נוֹצוֹת
notzot
תַּנִּין
taneen
דֹּב
dov
שַׂקְנַאי
sakna'y
בַּת יַעֲנָה
bat ya'ana
דּוֹלְפִין
dolfeen
אַרְיֵה
aryeh
גּוּרִים
gooreem
גִ'ירָפָה
jeerafa

אַיָּל
a'yal
גָּמָל
gamal
כֶּלֶב יָם
kelev yam
דֹּב לָבָן
dov lavan
צָב
tzav
חֶדֶק
chedek
פִּיל
peel
קַרְנַף
karnaf
תְּאוֹ
te'o
קַרְנַיִם
karna'yeem
בּוֹנֶה
boneh
זֶבְּרָה
zebra
עֵז
ez
נָחָשׁ
nachash
כָּרִישׁ
kareesh
לִוְיָתָן
leev'yatan
טִיגְרִיס
teegrees
נָמֵר
namer

כְּלֵי תַּחְבּוּרָה k’**lay** tachboo**ra**

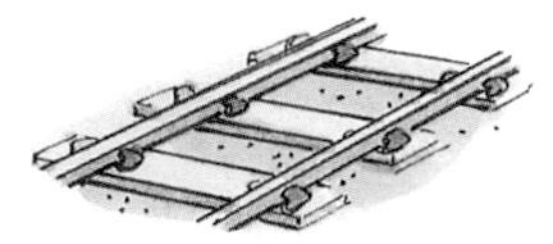
פַּסֵּי רַכֶּבֶת
pa**say** ra**ke**vet

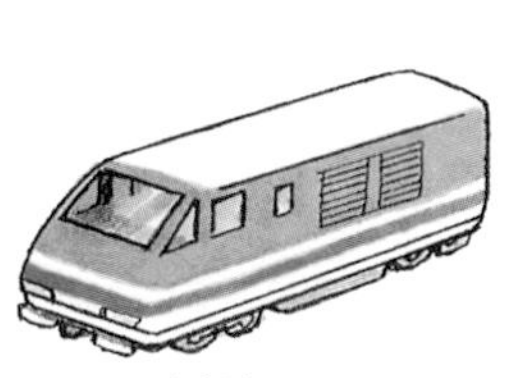
קַטָּר
ka**tar**

בּוֹלְמֵי זַעֲזוּעִים
bol**may** za’azoo’**eem**

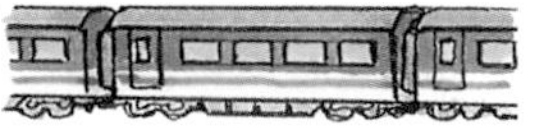
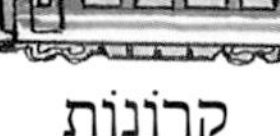
קְרוֹנוֹת
kro**not**

נְהַג קַטָּר
ne**hag** ka**tar**

רַכֶּבֶת מַשָּׂא
ra**ke**vet ma**sa**

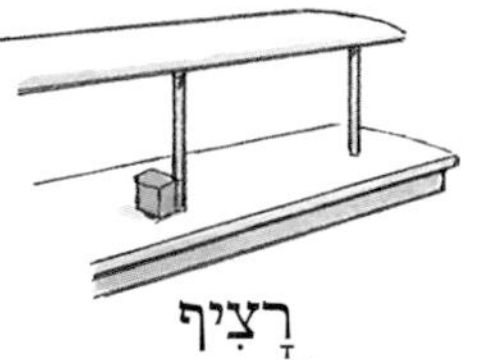
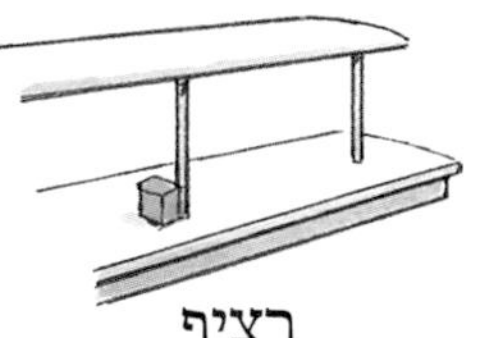
רָצִיף
ra**tzeef**

כַּרְטִיסָנִית
kartees**a**neet

מִזְוָדָה
meezva**da**

מְכוֹנַת כַּרְטִיסִים
mecho**nat** kartee**seem**

תַּחֲנַת הָרַכֶּבֶת tacha**nat** ha-ra**ke**vet

הַמּוּסָךְ ha-moo**sach**

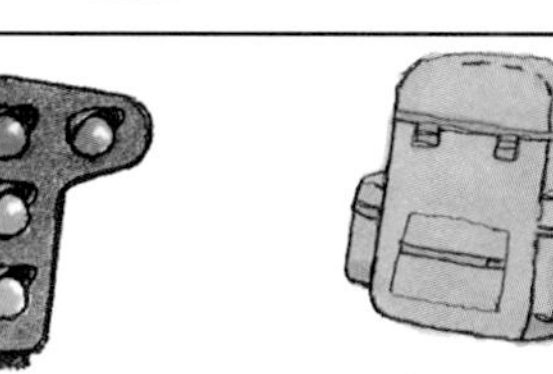
רַמְזוֹר
ram**zor**

תַּרְמִיל
tar**meel**

פָּנָסִים קִדְמִיִּים
pana**seem**
keedmee’**yeem**

מָנוֹעַ
ma**no**’a

גַּלְגַּל
gal**gal**

מַצְבֵּר
matz**ber**

נְמַל הַתְּעוּפָה n'mal ha-te'oofa
מָטוֹס
matos
מַסּוֹק
masok
מַסְלוּל
maslool
מִגְדַּל פִּקּוּחַ
meegdal peekoo'ach
צֶוֶת דַּיָּלֵי הַטִּיסָה
tzevet da'yalay ha-teesa
טַיָּס
tayas
רְחִיצַת מְכוֹנִיּוֹת
recheetzat
mechoneeyot
תָּא מִטְעָן
ta meet'an
דֶּלֶק
delek
גּוֹרֵר
gorer
מַשְׁאֵבַת דֶּלֶק
mash'evat delek
שֶׁמֶן
shemen
מִכְסֵה מָנוֹעַ
meechseh mano'a
צָמִיג
tzameeg
מַפְתֵּחַ בְּרָגִים
mafte'ach brageem
מְכָלִית דֶּלֶק
mechaleet delek
רחיצת מכוניות

בַּכְּפָר ba-**kfar**

הַר
har

טַחֲנַת רוּחַ
tacha**nat roo**'ach

כַּדּוּר פּוֹרֵחַ
ka**door** po**ray**'ach

פַּרְפַּר
par**par**

לְטָאָה
leta'**ah**

אֲבָנִים
ava**neem**

שׁוּעָל
shoo'**al**

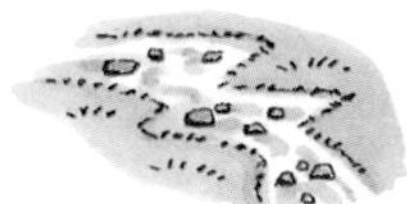

נַחַל
nachal

תַּמְרוּר
tam**roor**

קִפּוֹד
kee**pod**

סֶכֶר
secher

סְנָאִי
sna'**ee**

יַעַר
ya'ar

גִּירִית
gee**reet**

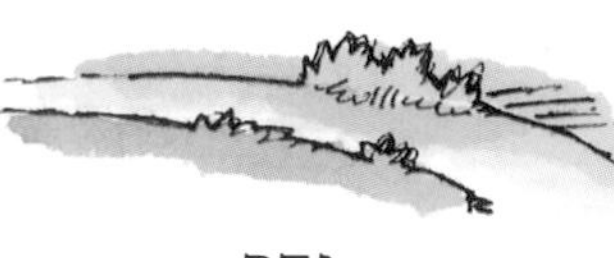

נָהָר
na**har**

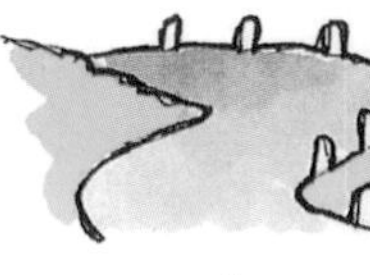

כְּבִישׁ
kveesh

אֹהָלִים
ohaleem
תְּעָלָה
te'ala
בּוּלֵי עֵץ
boolay etz
כְּפָר
kfar
עָשׁ
ash
גֶּשֶׁר
gesher
אַרְבָּה
arba
מַפַּל מַיִם
mapal ma'yeem
יַנְשׁוּף
yanshoof
מִנְהָרָה
meenhara
גּוּרֵי שׁוּעָל
gooray shoo'al
חֲפַרְפֶּרֶת
chafarperet
דַּיָּג
da'yag
סְלָעִים
sla'eem
קַרְפָּדָה
karpada
רַכֶּבֶת
rakevet
קָרָוָן
karavan
גִּבְעָה
geev'a

ba-**me**shek

תַּרְנְגוֹל
tarne**gol**

עֲרֵמַת שַׁחַת
are**mat sha**chat

כֶּלֶב רוֹעִים
kelev ro'**eem**

טְלָיִים
tla'y**eem**

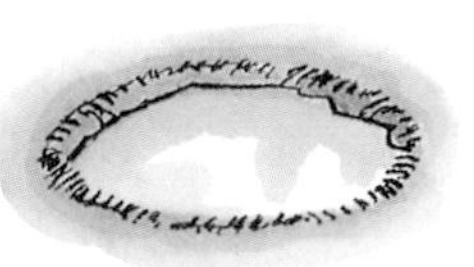

בְּרֵכָה
bre**cha**

אֶפְרוֹחִים
efro**cheem**

עֲלִיַּת גַּג
alee**yat** gag

דִּיר חֲזִירִים
deer chazee**reem**

פַּר
par

לוּל
lool

טְרַקְטוֹר
traktor

אַוָּזִים
ava**zeem**

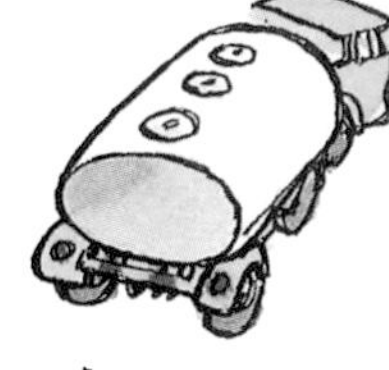

מְכָלִית
mecha**leet**

אָסָם
a**sam**

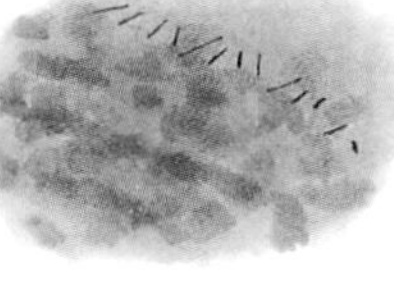

בֹּץ
botz

עֲגָלָה
aga**la**

רֶפֶת
refet

אֻכָּף
ookaf

גָּדֵר
gader

עֵגֶל
egel

תַּרְנְגוֹלוֹת
tarnegolot

שָׂדֶה
sadeh

אִכָּר
eekar

פָּרָה
para

מַחֲרֵשָׁה
macharesha

מַטָּע
mata

אֻרְוָה
oorva

חֲזִירוֹנִים
chazeeroneem

חֲמוֹר
chamor

תַּרְנְגוֹלֵי הֹדּוּ
tarnegolay hodoo

דַּחְלִיל
dachleel

בֵּית הָאִכָּר
bet ha-eekar

חֲזִירִים
chazeereem

סוּס
soos

חֲבִילוֹת קַשׁ
chaveelot kash

כְּבָשִׂים
kvaseem

שַׁחַת
shachat

עַל שְׂפַת הַיָּם al sfat ha-**yam**

צֶדֶף
tzedef

סִירַת מִפְרָשׂ
see**rat** meef**ras**

יָם
yam

מָשׁוֹט
ma**shot**

מִגְדַּלּוֹר
meegda**lor**

אֵת
et

דְּלִי
dlee

כּוֹכַב יָם
ko**chav** yam

אַרְמוֹן חוֹל
ar**mon** chol

שִׁמְשִׁיָּה
sheemshee**ya**

דֶּגֶל
degel

מַלָּח
ma**lach**

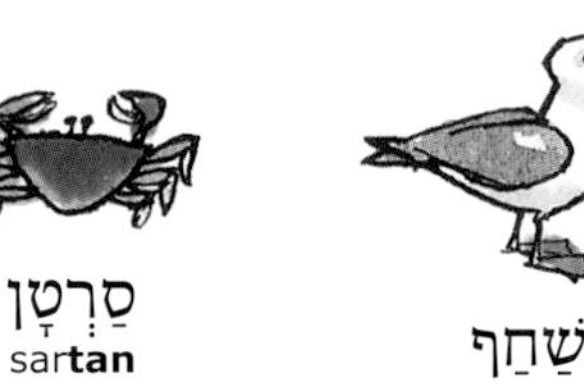

סַרְטָן
sar**tan**

שַׁחַף
shachaf

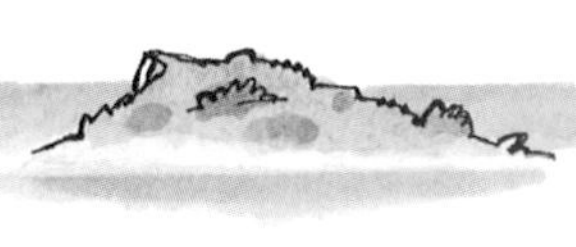

אִי
ee

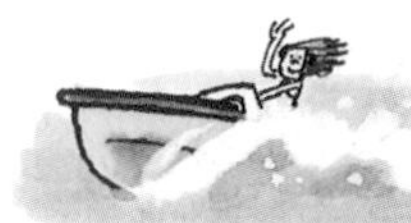

סִירַת מָנוֹעַ
see**rat** ma**no**'a

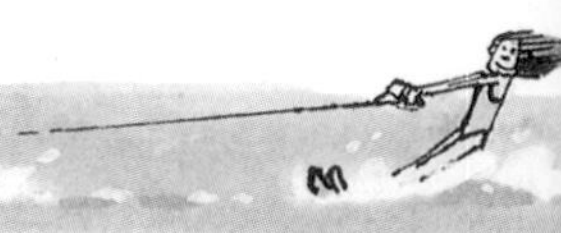

סְקִי מַיִם
skee **ma'y**eem

גַּלִּים
galeem
כּוֹבַע שֶׁמֶשׁ
kova shemesh
צוּק
tzook
אֳנִיָּה
onee'ya
קָיָאק
kayak
חֶבֶל
chevel
חֲלוּקֵי נַחַל
chalookay nachal
אַצּוֹת
atzot
רֶשֶׁת
reshet
מָשׁוֹט
mashot
סִירַת דַּיִג
seerat da'yeeg
סְנַפִּירִים
snapeereem
קְרֵם הֲגָנָה
krem hagana
דָּג
dag
בֶּגֶד יָם
beged yam
מְכָלִית נֵפְט
mechaleet neft
חוֹף
chof
סִירַת מְשׁוֹטִים
seerat meshoteem
כִּסֵּא נֹחַ
keeseh no'ach

be-**vet** ha-**se**fer

לוּחַ
loo'ach

מִסְפָּרַיִם
meespa**ra'y**eem

2 + 2 = 4
2 + 3 = 5

חֶשְׁבּוֹן
chesh**bon**

מַחַק
ma**chak**

סַרְגֵּל
sar**gel**

תַּצְלוּמִים
tatzloo**meem**

טוּשִׁים
too'**sheem**

חֵמָר
che**mar**

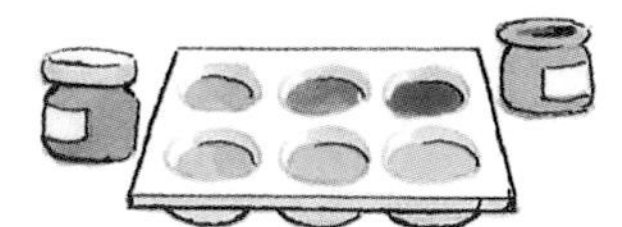

צְבָעִים
tzva'**eem**

יֶלֶד
yeled

עִפָּרוֹן
eepa**ron**

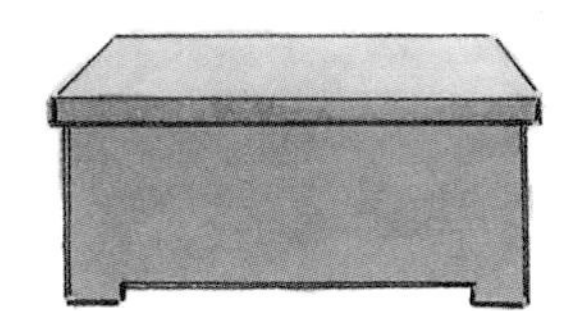

שֻׁלְחַן כְּתִיבָה
shool**chan** ktee**va**

סְפָרִים
sfa**reem**

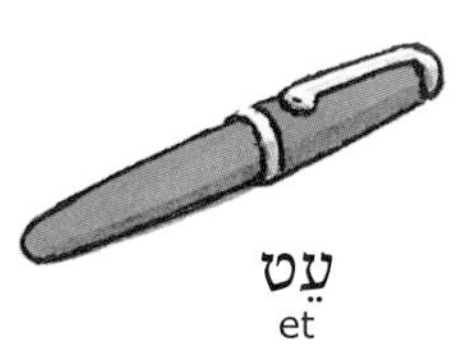

עֵט
et

דֶּבֶק
devek

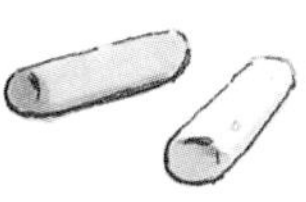

גִּיר
geer

רִשּׁוּם
ree**shoom**

סַל נְיָרוֹת
sal ne**yarot**

מוֹרָה
mo**ra**

קֻפְסָה
koof**sa**

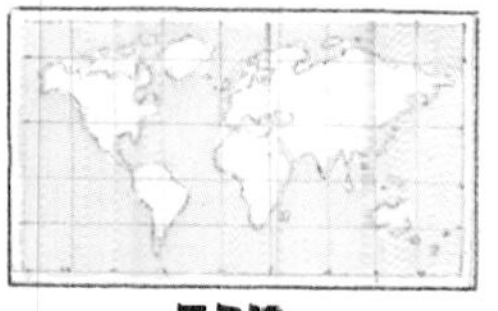
מַפָּה
ma**pa**

מִכְחוֹל
meech**chol**

תִּקְרָה
teek**ra**

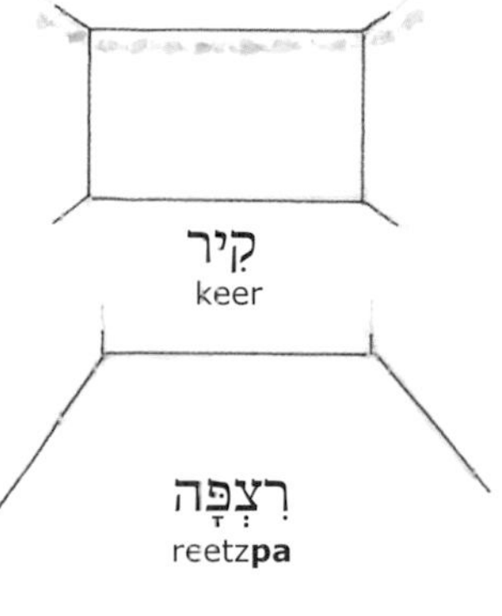
קִיר
keer

רִצְפָּה
reetz**pa**

מַחְבֶּרֶת
mach**be**ret

א ב ג ד ה ו ז ח ט י
כ ך ל מ ם נ ן ס ע
פ ף צ ץ ק ר ש ת

אָלֶף-בֵּית
alef bet

תָּג
tag

אַקְוָרְיוּם
ak**var'**yoom

נְיָר
ne**yar**

תְּרִיס
treess

כַּן צִיּוּר
kan tzee'**yoor**

יָדִית
ya**deet**

צֶמַח
tzemach

גְּלוֹבּוּס
globoos

יַלְדָּה
yal**da**

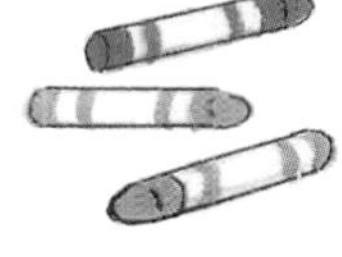
צִבְעֵי שַׁעֲוָה
tzeev'**ay** sha'**a**va

מְנוֹרָה
meno**rah**

בְּבֵית הַחוֹלִים

be-**vet** ha-cho**leem**

אָח
ach

צֶמֶר גֶּפֶן
tzemer **ge**fen

תְּרוּפָה
troo**fa**

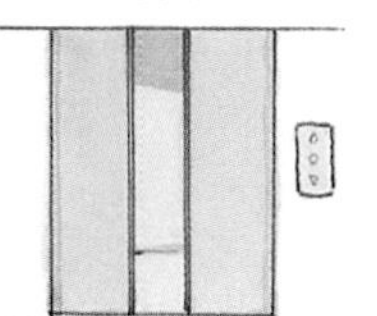

מַעֲלִית
ma'a**leet**

חָלוּק
cha**look**

קַבַּיִם
ka**ba'y**eem

גְּלוּלוֹת
gloo**lot**

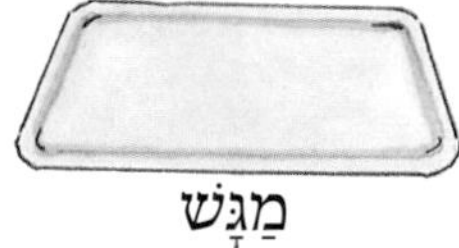

מַגָּשׁ
ma**gash**

שְׁעוֹן יָד
sh'**on** yad

מַדְחֹם
mad**chom**

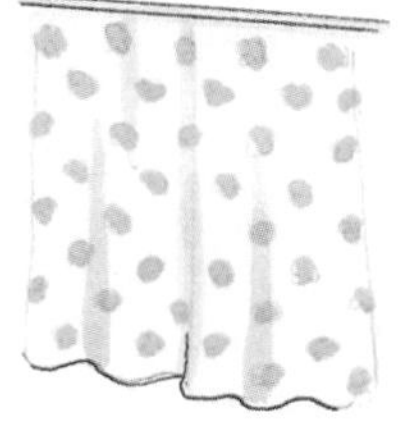

וִילוֹן
vee**lon**

תַּפּוּחַ
ta**poo**'ach

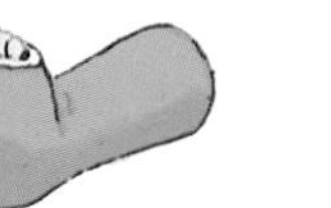

גֶּבֶס
geves

תַּחְבֹּשֶׁת
tach**bo**shet

כִּסֵּא גַּלְגַּלִּים
kee**seh** galga**leem**

פָּזֶל
pazel

רוֹפְאָה
rof'**ah**

מַזְרֵק
maz**rek**

רוֹפֵא rofeh

נַעֲלֵי בַּיִת
na'alay ba'yeet

מַחְשֵׁב
machshev

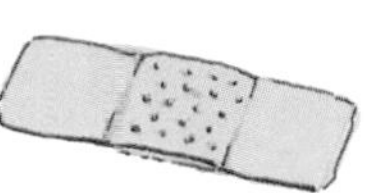

אֶגֶד מִדַּבֵּק
eged meedabek

בַּנָּנָה
banana

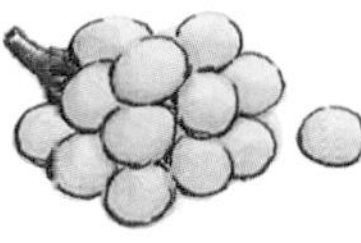

עֲנָבִים
anaveem

סַלְסִלָּה
salseela

צַעֲצוּעִים
tza'atzoo'eem

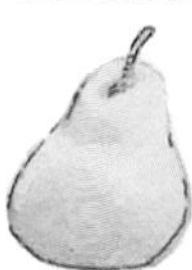

אַגָּס
agas

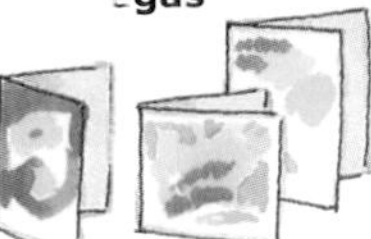

כַּרְטִיסֵי בְּרָכָה
karteesay bracha

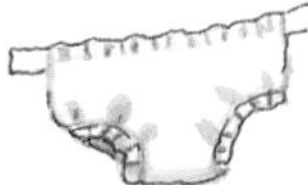

חִתּוּל
cheetool

מַקֵּל הֲלִיכָה
makel haleecha

כַּר
kar

כְּתוֹנֶת לַיְלָה
ktonet la'yla

פִּיגָ'מָה
peejama

תַּפּוּז
tapooz

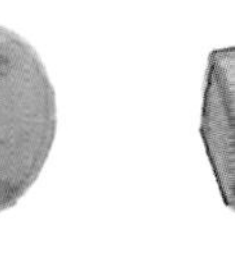

מִמְחֲטוֹת נְיָר
meemchatot neyar

קוֹמִיקְס
komeeks

חֲדַר הַמְתָּנָה
chadar hamtana

בַּמְּסִבָּה

ba-meseeba

מַתָּנוֹת
mata**not**

בַּלּוֹן
ba**lon**

שׁוֹקוֹלָד
shokolad

מִשְׁקָפַיִם
meeshka**fa'y**eem

סֻכָּרִיָּה
sookar**ya**

חַלּוֹן
cha**lon**

זִקּוּקִין דִּי נוּר
zeekoo**keen** dee noor

סֶרֶט
seret

עוּגָה
oo**ga**

קַשִּׁית
ka**sheet**

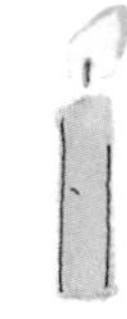

נֵר
ner

שַׁרְשְׁרוֹת נְיָר
sharshe**rot** ne**yar**

צַעֲצוּעִים
tza'atzoo'**eem**

קלֶמֶנְטִינָה
klemen**tee**na

נַקְנִיק
nak**neek**

דֻּבּוֹן
doo**bon**

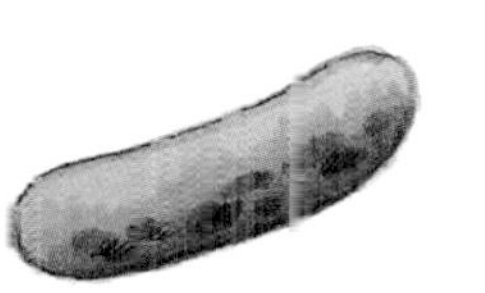

נַקְנִיקִיָּה
nakneekee**ya**

תַּפּוּצִ'יפְּס
tapoo**cheeps**

תַּחְפֹּשֶׂת
tach**po**set

דֻּבְדְּבָן
doovde**van**

מִיץ פֵּרוֹת
meetz pe**rot**

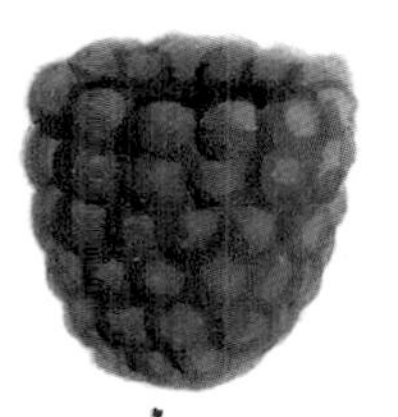

פֶּטֶל
petel

תּוּת שָׂדֶה
toot sa**deh**

נוּרָה
noo**ra**

כָּרִיךְ
ka**reech**

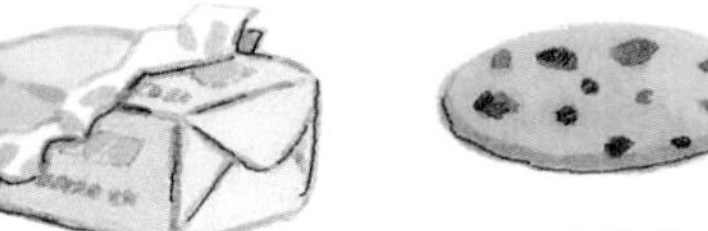

חֶמְאָה
chem'**ah**

עוּגִיָּה
oogee**ya**

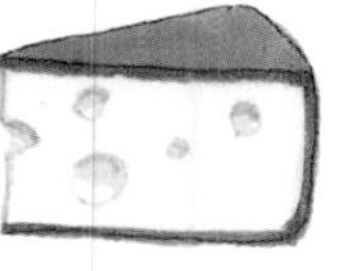

גְּבִינָה
gvee**na**

לֶחֶם
lechem

מַפַּת שֻׁלְחָן
ma**pat** shool**chan**

בַּחֲנוּת ba-cha**noot**

סַל קְנִיּוֹת
sal k'nee'**yot**

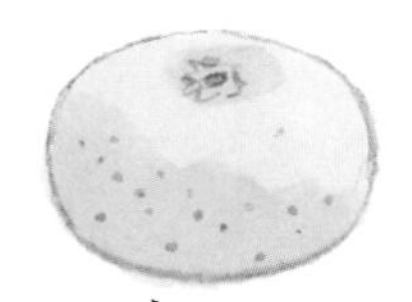

אֶשְׁכּוֹלִית
eshko**leet**

גֶּזֶר
gezer

כְּרוּבִית
kroo**veet**

כְּרֵשָׁה
kre**sha**

פִּטְרִיָּה
peetree'**ya**

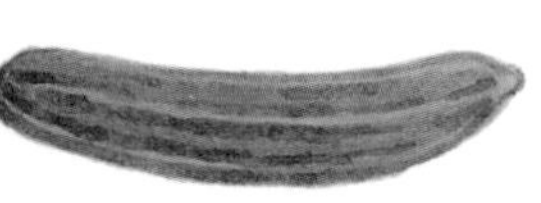

מְלָפְפוֹן
melafe**fon**

לִימוֹן
lee**mon**

סֶלֶרִי
seleree

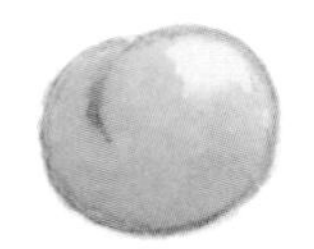

מִשְׁמֵשׁ
meesh**mesh**

מֶלוֹן
me**lon**

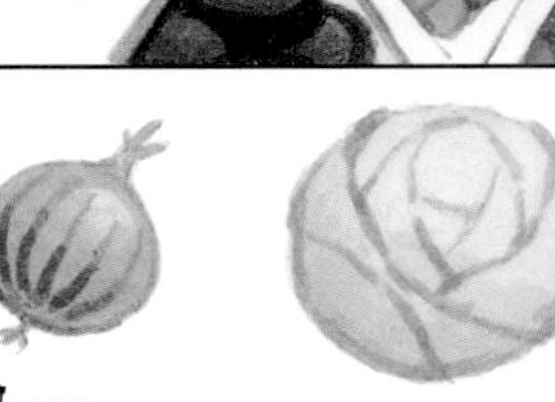

בָּצָל
ba**tzal**

כְּרוּב
kroov

אֲפַרְסֵק
afar**sek**

חַסָּה
chasa

אֲפוּנָה
afoo**na**

עַגְבָנִיָּה
agvanee'**ya**

בֵּיצִים
bay**tzeem**

שְׁזִיף
she**zeef**

קֶמַח
kemach

מֹאזְנַיִם
moz**na'y**eem

צִנְצָנוֹת
tzeentze**not**

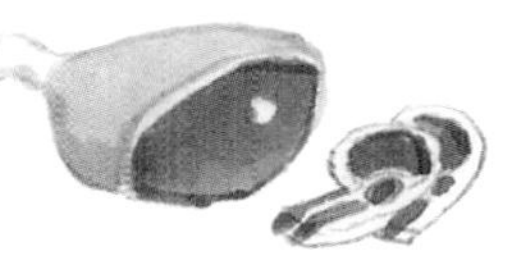

בָּשָׂר
ba**sar**

אֲנָנָס
ananas

יוֹגוּרְט
yogoort

סַל
sal

בַּקְבּוּקִים
bakboo**keem**

תִּיק
teek

אַרְנָק
arn**ak**

כֶּסֶף
kesef

קֻפְסָאוֹת שִׁמּוּרִים
koofsa'**ot** sheemoo**reem**

תַּפּוּחֵי אֲדָמָה
tapoo**chay** ada**ma**

תֶּרֶד
tered

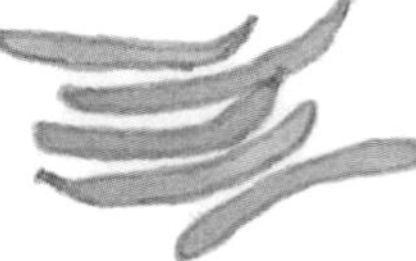

שְׁעוּעִית
she'oo'**eet**

קֻפָּה
koo**pa**

דְּלַעַת
dla'at

עֶגְלַת קְנִיּוֹת
eg**lat** k'nee'**yot**

מָזוֹן ma**zon**

אֲרוּחַת בֹּקֶר
aroo**chat** **bo**ker

אֲרוּחַת צָהֳרַיִם
aroo**chat** tzo'ho**ra'y**eem

בֵּיצָה רַכָּה
bay'**tza** ra**ka**

לֶחֶם קָלוּי
lechem ka**loo**'ee

רִבָּה
ree**ba**

קָפֶה
ka**feh**

בֵּיצַת עַיִן
bay'**tzat a'y**een

שַׁמֶּנֶת
sha**me**net

חָלָב
cha**lav**

דְּגָנִים
dega**neem**

שׁוֹקוֹ חַם
shoko cham

סוּכָּר
soo**kar**

דְּבַשׁ
dvash

מֶלַח
melach

פִּלְפֵּל
peel**pel**

תֵּה
te

קוּמְקוּם תֵּה
koom**koom** te

חֲבִיתִיּוֹת
chaveetee'**yot**

לַחְמָנִיּוֹת
lachmanee'**yot**

אֲרוּחַת עֶרֶב
aroochat erev
בָּשָׂר
basar
מָרָק
marak
חֲבִיתָה
chaveeta
סָלָט
salat
מַקְלוֹת אֲכִילָה
maklot acheela
הַמְבּוּרְגֶר
hamboorger
עוֹף
of
אֹרֶז
orez
רֹטֶב
rotev
סְפָּגֶטִי
spagetee
מְחִית תַּפּוּחֵי אֲדָמָה
mecheet tapoochay adama
פִּיצָה
peetza
טֻגָּנִים
tooganeem
קִנּוּחִים
keenoocheem

אֲנִי anee

רֹאשׁ rosh
שֵׂעָר se'ar
פָּנִים paneem

גַּבָּה ga**ba**

עַיִן **a'y**een

אַף af

לֶחִי **le**chee

פֶּה peh

שְׂפָתַיִם sfa**ta'y**eem

זְרוֹעַ **zro**'a
מַרְפֵּק mar**pek**
בֶּטֶן **be**ten

שִׁנַּיִם shee**na'y**eem

לָשׁוֹן la**shon**

סַנְטֵר san**ter**

אָזְנַיִם ozna'**yeem**

צַוָּאר tza**var**

כְּתֵפַיִם kte**fa'y**eem

אֶצְבְּעוֹת רַגְלַיִם etzbe'**ot** rag**la'y**eem
כַּף רֶגֶל kaf **re**gel
רֶגֶל **re**gel
בֶּרֶךְ **be**rech

חָזֶה cha**zeh**

גַּב gav

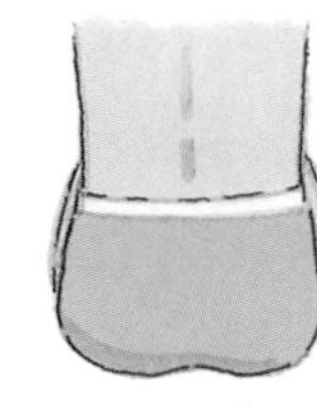

יַשְׁבָן yash**van**

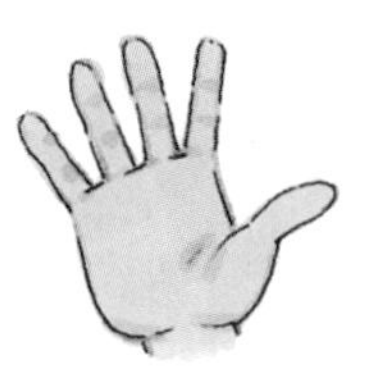

כַּף יָד kaf yad

אֲגוּדָל agoo**dal**

אֶצְבָּעוֹת etzba'**ot**

הַבְּגָדִים שֶׁלִּי
ha-bga**deem** she**lee**

גַּרְבַּיִם
gar**ba'y**eem

תַּחְתּוֹנִים
tachto**neem**

גּוּפִיָּה
goofee'**ya**

מִכְנָסַיִם
meechna**sa'y**eem

מִכְנְסֵי ג'ִינְס
meechne**say** jeens

חֻלְצַת טְרִיקוֹ
chool**tzat** tree**ko**

חֲצָאִית
chatza'**eet**

חֻלְצָה
chool**tza**

עֲנִיבָה
anee**va**

מִכְנָסַיִם קְצָרִים
meechna**sa'y**eem
ketza**reem**

גַּרְבּוֹנִים
garbo**neem**

שִׂמְלָה
seem**la**

סְוֶדֶר
sveder

מַיְזָע
may**za**

אֲפוּדָה
afoo**da**

צָעִיף
tza'**eef**

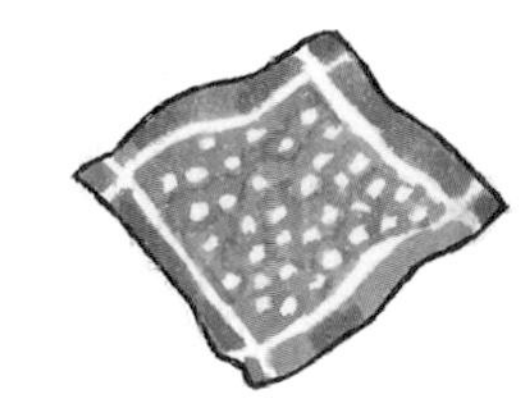
מִמְחָטָה
meemcha**ta**

נַעֲלֵי הִתְעַמְּלוּת
na'a**lay** heetam**loot**

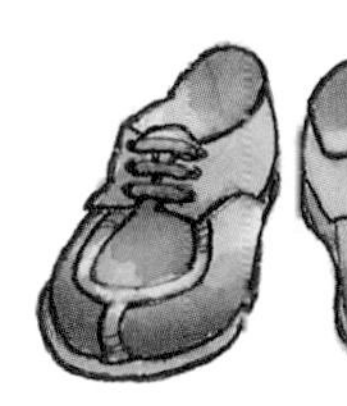
נַעֲלַיִם
na'a**la'y**eem

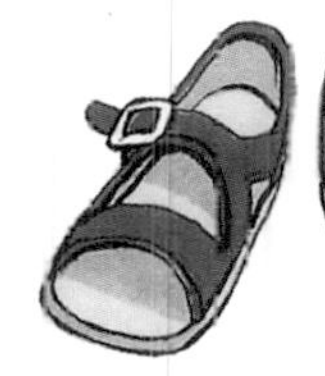
סַנְדָּלִים
sanda**leem**

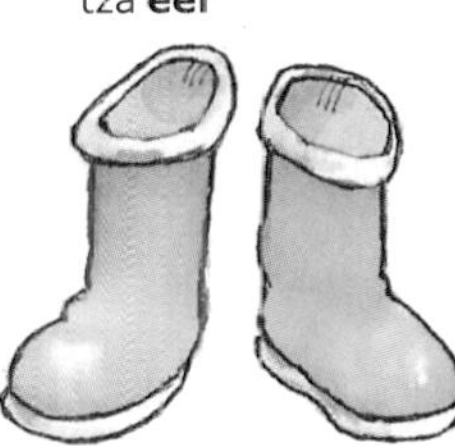
מַגָּפַיִם
maga**fa'y**eem

כְּפָפוֹת
kfa**fot**

חֲגוֹרָה
chago**ra**

אַבְזָם
av**zam**

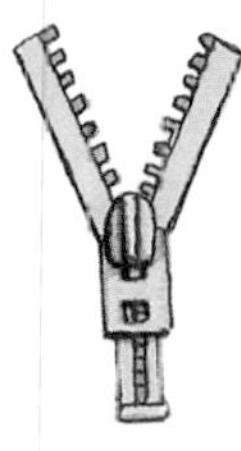
רוֹכְסָן
roch**san**

שְׂרוֹךְ
sroch

כַּפְתּוֹרִים
kafto**reem**

לוּלָאוֹת
loola'**ot**

כִּיסִים
kee**seem**

מְעִיל
me'**eel**

זָ'קֶט
ja**ket**

כּוֹבַע מִצְחִיָּה
kova meetz'chee**ya**

כּוֹבַע
kova

מִקְצוֹעוֹת
meektzo'**ot**
טַבָּח
ta**bach**
רַקְדָן
rakda**n**
רַקְדָנִית
rakda**neet**
שַׂחְקָן
sach'**kan**
שַׂחְקָנִית
sach'ka**neet**
זַמָּר
za**mar**
זַמֶּרֶת
za**me**ret
טַיָּס חָלָל
ta'**yas** cha**lal**
קַצָּב
ka**tzav**
שׁוֹטֵר
sho**ter**
שׁוֹטֶרֶת
sho**te**ret
נַגָּר
na**gar**
כַּבַּאי
ka**ba'y**
צַיֶּרֶת
tza'**ye**ret
שׁוֹפֵט
sho**fet**
מְכוֹנַאי
mecho**na'y**
מְכוֹנָאִית
mechona'**eet**

נַהֶגֶת מַשָּׂאִית
naheget masa'eet
נֶהָג אוֹטוֹבּוּס
nehag otoboos
סַפָּר
sapar
רוֹפְאַת שִׁנַּיִם
rof'at sheena'yeem
צוֹלֵל
tzolel
מֶלְצַר
meltzar
מֶלְצָרִית
meltzareet
דַּוָּר
davar
צַבָּע
tzaba
אוֹפָה
ofa

מִשְׁפָּחָה meeshpacha
בֵּן
ben
אָח
ach
בַּת
bat
אָחוֹת
achot
אִמָּא
eema
אִשָּׁה
eesha
אַבָּא
aba
בַּעַל
ba'al
דּוֹדָה
doda
דּוֹד
dod
חַיַּת מַחְמָד
cha'yat machmad
בֶּן-דּוֹד
ben dod
סַבָּא
saba
סַבְתָּא
savta

פְּעֻלּוֹת pe'oo**lot**

לִצְחֹק
leetz**chok**
לְחַיֵּךְ
lecha'**yech**
לִבְכּוֹת
leev**kot**
לַחְשֹׁב
lach**shov**
לְהַקְשִׁיב
lehak**sheev**
לִתְפֹּס
leet**pos**
לִזְרֹק
leez**rok**
לִשְׁבֹּר
leesh**bor**
לְצַיֵּר
le'tza'**yer**
לִכְתֹּב
leech**tov**
לַחְטֹב
lach**tov**
לִגְזֹר
leeg**zor**
לֶאֱכֹל
le'e**chol**
לְשׂוֹחֵחַ
leso**che**'ach
לַחְפֹּר
lach**por**
לָשֵׂאת
la'**set**
לִשְׁתּוֹת
leesh**tot**
לְהַרְכִּיב
lehar**keev**
לִקְפֹּץ
leek**potz**
לִרְקֹד
leer**kod**
לְהִתְרַחֵץ
leheetra**chetz**
לִסְרֹג
lees**rog**
לִזְחֹל
leez**chol**

לְשַׂחֵק
lesa'chek
לְהִסְתַּכֵּל
leheestakel
לְטַפֵּס
letapes
לָקַחַת
lakachat
לִישֹׁן
leeshon
לְהִתְקוֹטֵט
leheetkotet
לְדַלֵּג
ledaleg
לִתְפֹּר
leetpor
לְחַכּוֹת
lechakot
לְהִתְחַבֵּא
leheetchabeh
לְבַשֵּׁל
levashel
לִקְנוֹת
leeknot
לִקְרֹא
leekro
לִדְחֹף
leedchof
לָשִׁיר
lasheer
לְטַאְטֵא
leta'teh
לִקְטֹף
leektof
לִנְשֹׁף
leenshof
לִמְשֹׁךְ
leemshoch
לִפֹּל
leepol
לָלֶכֶת
lalechet
לָרוּץ
larootz
לָשֶׁבֶת
lashevet

הֲפָכִים hafacheem
רָחוֹק
rachok
קָרוֹב
karov
טוֹב
tov
רַע
ra
קַר
kar
חַם
cham
רָטֹב
ratov
יָבֵשׁ
yavesh
עֶלְיוֹן
elyon
תַּחְתּוֹן
tachton
מְלֻכְלָךְ
meloochlach
נָקִי
nakee
מֵעַל
me'al
מִתַּחַת
meetachat
שָׁמֵן
shamen
רָזֶה
razeh
פָּתוּחַ
patoo'ach
סָגוּר
sagoor
קָטָן
katan
גָּדוֹל
gadol
מְעַט
me'at
הַרְבֵּה
harbeh
רִאשׁוֹן
ree'shon
אַחֲרוֹן
acharon
שְׂמֹאל
smol

בַּחוּץ
bachootz
בִּפְנִים
beefneem
קַל
kal
קָשֶׁה
kasheh
רֵיק
rek
מָלֵא
maleh
רַךְ
rach
קָשֶׁה
kasheh
חָזִית
chazeet
גָּבוֹהַּ
gavo'ah
אִטִּי
eetee
מָהִיר
maheer
אָחוֹר
achor
נָמוּךְ
namooch
אָרוֹךְ
aroch
קָצָר
katzar
מֵת
met
חַי
cha'y
חָשׁוּךְ
chashooch
מוּאָר
moo'ar
לְמַעְלָה
lema'la
יָשָׁן
yashan
יָמִין
yameen
חָדָשׁ
chadash
לְמַטָּה
lemata

יְמֵי הַשָּׁבוּעַ
yemay ha-shavoo'a
יוֹם רִאשׁוֹן
yom reeshon
יוֹם שֵׁנִי
yom shenee
יוֹם שְׁלִישִׁי
yom shleeshee
יוֹם רְבִיעִי
yom revee'ee
יוֹם חֲמִישִׁי
yom chameeshee
יוֹם שִׁשִּׁי
yom sheeshee
שַׁבָּת
shabat
לוּחַ שָׁנָה
loo'ach shana
בֹּקֶר
boker
שֶׁמֶשׁ
shemesh
עֶרֶב
erev
לַיְלָה
la'yla
חָלָל
chalal
כּוֹכַב לֶכֶת
kochav lechet
סְפִינַת חָלָל
sfeenat chalal
יָרֵחַ
yare'ach
כּוֹכָב
kochav
טֶלֶסְקוֹפּ
teleskop

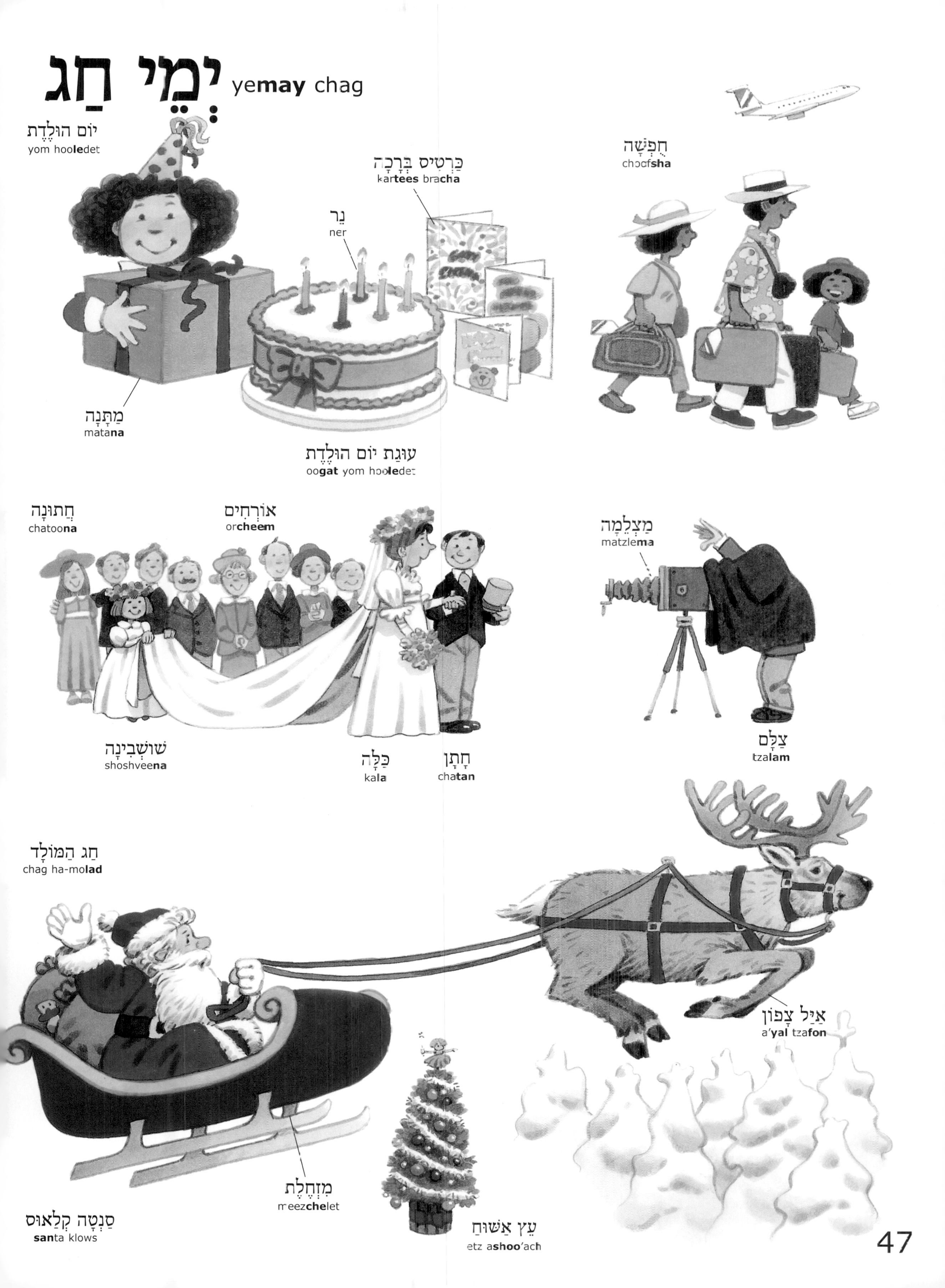
יְמֵי חַג
yemay chag
יוֹם הוּלֶדֶת
yom hooledet
כַּרְטִיס בְּרָכָה
kartees bracha
נֵר
ner
מַתָּנָה
matana
עוּגַת יוֹם הוּלֶדֶת
oogat yom hooledet
חֻפְשָׁה
choofsha
חֲתוּנָּה
chatoona
אוֹרְחִים
orcheem
מַצְלֵמָה
matzlema
שׁוֹשְׁבִינָה
shoshveena
כַּלָּה
kala
חָתָן
chatan
צַלָּם
tzalam
חַג הַמּוֹלָד
chag ha-molad
אַיַּל צָפוֹן
a'yal tzafon
מִזְחֶלֶת
meezchelet
סַנְטָה קְלָאוּס
santa klows
עֵץ אַשּׁוּחַ
etz ashoo'ach

מֶזֶג אֲוִיר mezeg aveer

עוֹנוֹת הַשָּׁנָה onot ha-shana

אָבִיב
aveev

קַיִץ
ka'yeetz

סְתָו
stav

חֹרֶף
choref

חַיּוֹת מַחְמָד
cha'yot machmad
וֶטֶרִינָרִית
vetereenareet
אוֹגֵר
oger
מְלוּנָה
mloona
שַׁרְקָן
sharkan
כֶּלֶב
kelev
תֻּכִּי גַּמָּדִי
tookee gamadee
כְּלַבְלַב
klavlav
מָזוֹן לִכְלָבִים
mazon leechlaveem
תֻּכִּי
tookee
מַקּוֹר
makor
קַנָּרִית
kanareet
אַרְנָב
arnav
כְּלוּב
kloov
חָתוּל
chatool
סַלְסִלָּה
salseela
חֲתַלְתּוּל
chataltool
עַכְבָּר
achbar
חָלָב
chalav
דְּגֵי זָהָב
dgay zahav

סְפּוֹרְט וְהִתְעַמְּלוּת sport ve-heetam**loot**

כַּדּוּרְסַל
kadoor**sal**
חֲתִירָה
chatee**ra**
מִפְרָשׂ
meef**ras**
הַחְלָקָה עַל שֶׁלֶג
hachla**ka** al **she**leg
שַׁיִט מִפְרָשִׂיּוֹת
shayt meefrasee'**yot**
גְּלִישַׁת רוּחַ
glee**shat roo**'ach
מַחְבֵּט
mach**bet**
קְרִיקֶט
kreeket
קָרָטֶה
karateh
מַחְבֵּט
mach**bet**
טֶנִיס
tenees
פוּטְבּוֹל אָמֶרִיקָאִי
footbol ameree**ka**'ee
הִתְעַמְּלוּת
heetam**loot**
כַּדּוּר
ka**door**
חַכָּה
cha**ka**
דַּיִג
da'yeeg
פִּתָּיוֹן
peeta'**yon**
רִקּוּד
ree**kood**
כַּדּוּר בָּסִיס
ka**door** ba**sees**
רוֹגְבִּי
rogbee
קְפִיצַת רֹאשׁ
kfee**tzat** rosh
בְּרֵכַת שְׂחִיָּה
bre**chat** schee'**ya**
מֵרוֹץ
me**rotz**
שְׂחִיָּה
schee'**ya**

קַשָּׁתוּת
kashatoot
מַטָּרָה
matara
גְּלִישַׁת אֲוִיר
gleeshat aveer
רִיצָה קַלָּה
reetza kala
קַסְדָּה
kasda
רְכִיבָה עַל אוֹפַנַּיִם
recheeva al cfana'yeem
טִפּוּס הָרִים
teepoos hareem
ג'וּדוֹ
joodo
כוּס
soos
פּוֹנִי
ponee
תָּא
ta
נוֹצִית
notzeet
כַּדּוּרֶגֶל
kadooregel
רְכִיבָה עַל סוּסִים
recheeva al sooseem
חֲדַר הַלְבָּשָׁה
chadar halbasha
מַחְלִיקַיִם
machleeka'yeem
טֶנִיס שֻׁלְחָן
tenees shoolchan
הַחְלָקָה עַל קֶרַח
hachlaka al kerach
מוֹט סְקִי
mot skee
רַכֶּבֶל
rakevel
מִגְלָשַׁיִם
meeglasha'yeem
גְּלִישָׁה
gleesha
הֵאָבְקוּת סוּמוֹ
he'avkoot soomo

צְבָעִים tzva'eem
כָּתוֹם
katom
יָרוֹק
yarok
שָׁחוֹר
shachor
אָפֹר
afor
אָדֹם
adom
חוּם
choom
לָבָן
lavan
כָּחֹל
kachol
וָרֹד
varod
סָגֹל
sagol
צָהֹב
tzahov
צוּרוֹת tzoorot
מַלְבֵּן
malben
עִגּוּל
eegool
מְעֻיָּן
me'ooyan
חָרוּט
charoot
כּוֹכָב
kochav
קֻבִּיָּה
koobee'ya
אֱלִיפְּסָה
eleepsa
מְשֻׁלָּשׁ
meshoolash
רִבּוּעַ
reeboo'a
סַהֲרוֹן
saharon

מִסְפָּרִים meespa**reem**

	Masculine	Feminine
1	אֶחָד e**chad**	אַחַת a**chat**
2	שְׁנַיִם **shna'y**eem	שְׁתַּיִם **shta'y**eem
3	שְׁלֹשָׁה shlo**sha**	שָׁלוֹשׁ sha**losh**
4	אַרְבָּעָה arba'**a**	אַרְבַּע ar**ba**
5	חֲמִשָּׁה chamee**sha**	חָמֵשׁ cha**mesh**
6	שִׁשָּׁה shee**sha**	שֵׁשׁ shesh
7	שִׁבְעָה sheev'**a**	שֶׁבַע **she**va
8	שְׁמוֹנָה shmo**na**	שְׁמוֹנֶה **shmo**neh
9	תִּשְׁעָה tee**sha**	תֵּשַׁע **te**sha
10	עֲשָׂרָה asa**ra**	עֶשֶׂר **e**ser
11	אַחַד עָשָׂר a**chad** a**sar**	אַחַת עֶשְׂרֵה a**chat** es**reh**
12	שְׁנֵים עָשָׂר shnaym a**sar**	שְׁתֵּים עֶשְׂרֵה shtem es**reh**
13	שְׁלֹשָׁה עָשָׂר shlo**sha** a**sar**	שְׁלֹשׁ עֶשְׂרֵה shlosh es**reh**
14	אַרְבָּעָה עָשָׂר arba'**a** a**sar**	אַרְבַּע עֶשְׂרֵה ar**ba** es**reh**
15	חֲמִשָּׁה עָשָׂר chamee**sha** a**sar**	חֲמֵשׁ עֶשְׂרֵה cha**mesh** es**reh**
16	שִׁשָּׁה עָשָׂר shee**sha** a**sar**	שֵׁשׁ עֶשְׂרֵה shesh es**reh**
17	שִׁבְעָה עָשָׂר shee**va** a**sar**	שְׁבַע עֶשְׂרֵה shva es**reh**
18	שְׁמוֹנָה עָשָׂר shmo**na** a**sar**	שְׁמוֹנֶה עֶשְׂרֵה shmo**neh** es**reh**
19	תִּשְׁעָה עָשָׂר tee**sha** a**sar**	תְּשַׁע עֶשְׂרֵה tsha es**reh**
20	עֶשְׂרִים es**reem**	עֶשְׂרִים es**reem**

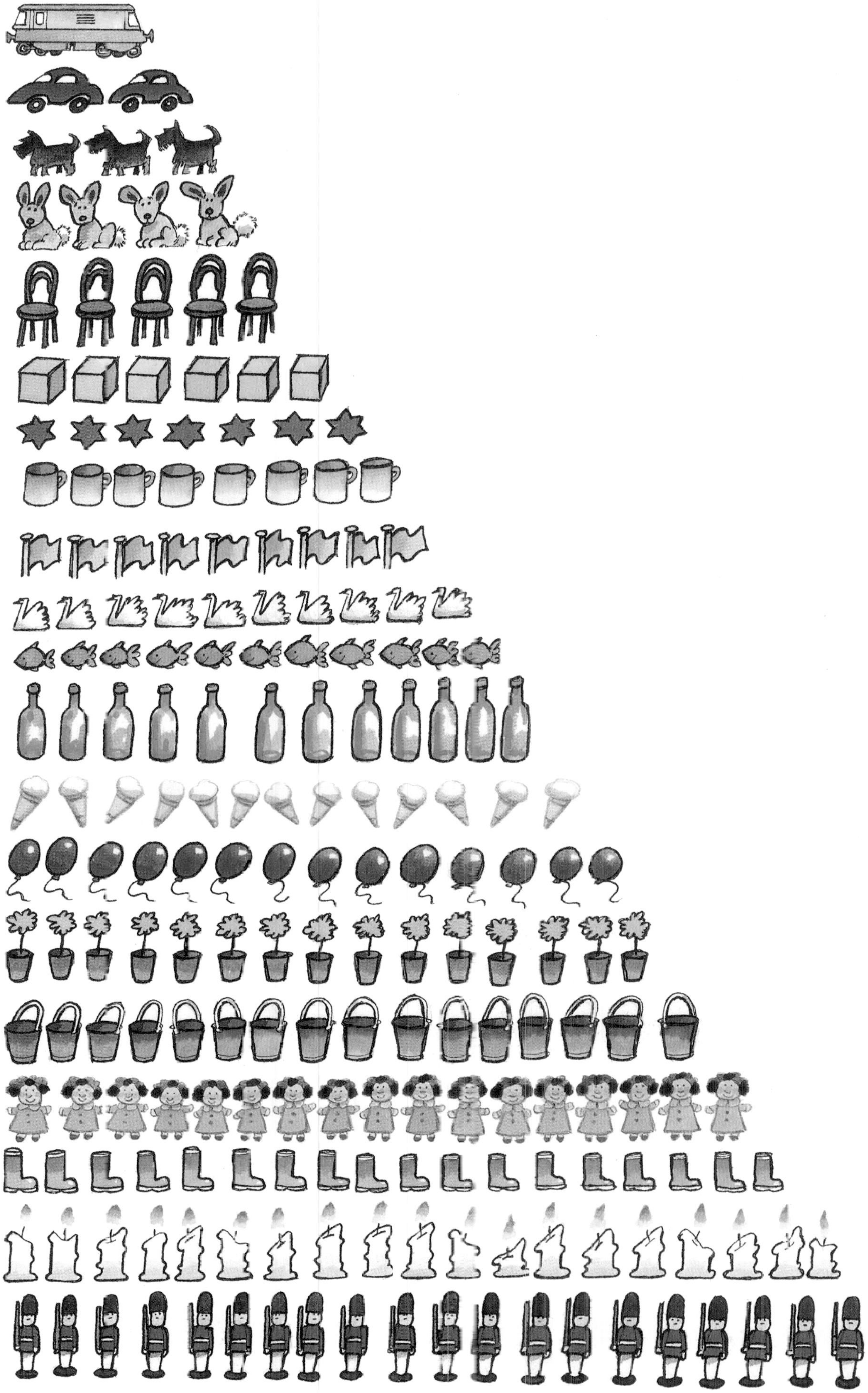

בַּלּוּנָה-פַּרְק ba-**loo**na park

קָרוּסֶלָה
karoosela
צֶמֶר גֶּפֶן מָתוֹק
tzemer gefen matok
גַּלְגַּל עֲנָק
galgal anak
רַכֶּבֶת שֵׁדִים
rakevet shedeem
פּוֹפְּקוֹרְן
popkoren
מִגְדַּל
שַׁעֲשׁוּעִים
meegdal
sha'ashoo'eem
מִשְׂחֲקֵי חִשּׁוּקִים
mees'chakay cheeshookeem
מְכוֹנִיּוֹת שַׁעֲשׁוּעִים
mechonee'yot sha'ashoo'eem
מַחְצֶלֶת
machtzelet
רַכֶּבֶת הָרִים
rakevet hareem

בַּקִּרְקָס
ba-keer**kas**

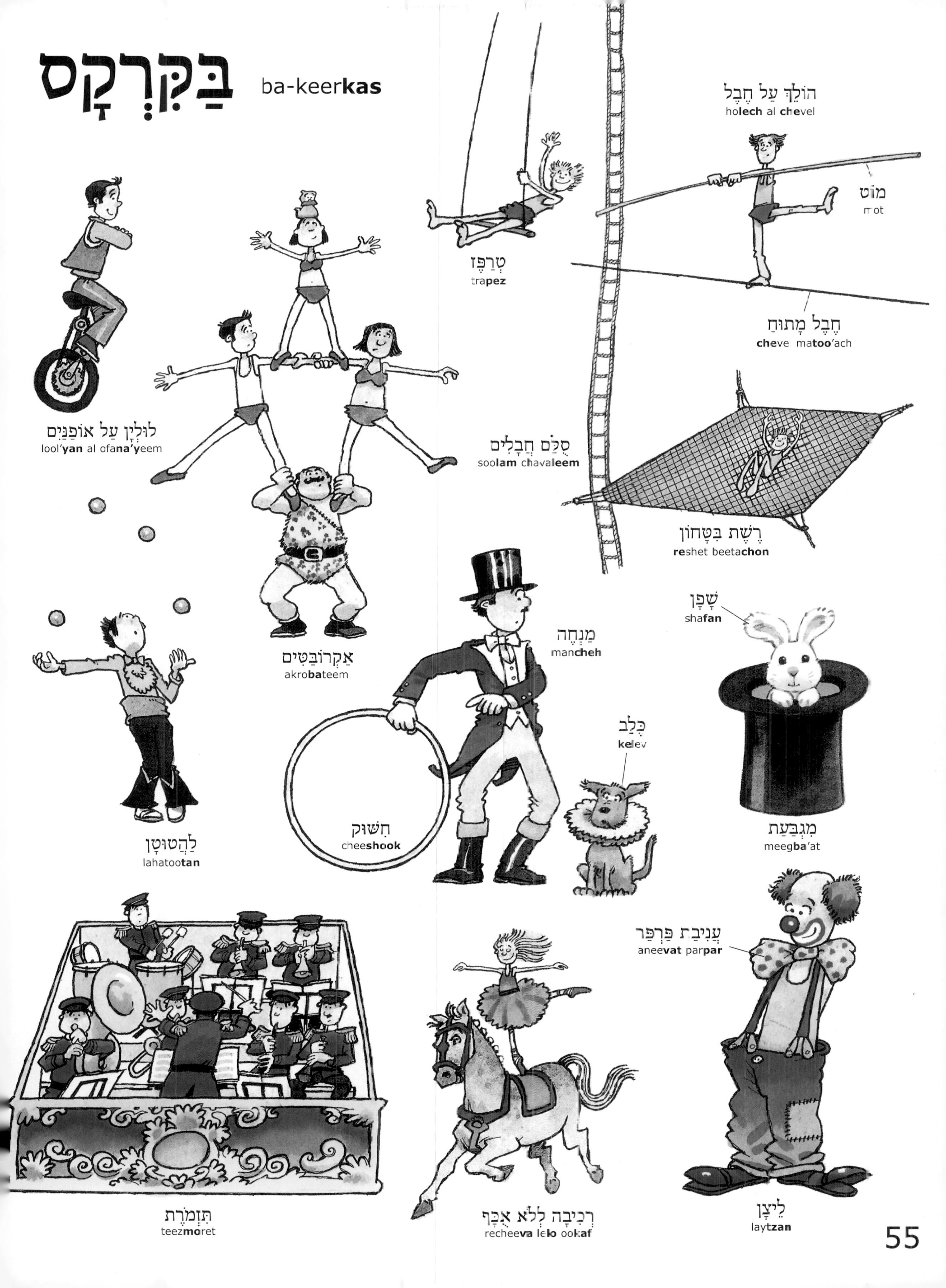

הוֹלֵךְ עַל חֶבֶל
ho**lech** al **che**vel
מוֹט
mot
טְרַפֶּז
tra**pez**
חֶבֶל מָתוּחַ
cheve ma**too**'ach
לוּלְיָן עַל אוֹפַנַּיִם
lool'**yan** al ofa**na'y**eem
סֻלַּם חֲבָלִים
soo**lam** chava**leem**
רֶשֶׁת בִּטָּחוֹן
reshet beeta**chon**
אַקְרוֹבָּטִים
akro**ba**teem
שָׁפָן
sha**fan**
מַנְחֶה
man**cheh**
כֶּלֶב
kelev
לַהֲטוּטָן
lahatoo**tan**
חִשּׁוּק
chee**shook**
מִגְבַּעַת
meeg**ba**'at
עֲנִיבַת פַּרְפַּר
anee**vat** par**par**
תִּזְמֹרֶת
teez**mo**ret
רְכִיבָה לְלֹא אֻכָּף
rechee**va** le**lo** oo**kaf**
לֵיצָן
lay**tzan**

Word list

On these pages you will find all the Hebrew words in the book, in order of the Hebrew alphabet. Next to each word, you can see its pronunciation in Roman letters (the letters we use to write English), and then its meaning in English. Remember that Hebrew is read from right to left.

The Hebrew alphabet

There are twenty-two basic letters in the Hebrew alphabet. Five of these have a different written form if they come at the end of a word. Several letters are pronounced differently if they have a dot, or *dagesh*, in the middle. Here is the Hebrew alphabet, along with the name of each letter and how it is pronounced.

Name of letter	Hebrew letter	Pronunciation
Alef	א	silent*
Bet	בּ ב	with dot: ***b*** as in *b*ed; without dot: ***v*** as in *v*et
Gimel	ג	***g*** as in *g*oat
Dalet	ד	***d*** as in *d*oor
He (say "hey")	ה	***h*** as in *h*at, or silent at the end of a word
Vav	ו	***v*** as in *v*et**
Zayin	ז	***z*** as in *z*ebra
Het (say "chet")	ח	***ch*** as in lo*ch* (try breathing out while saying a 'k' sound)
Tet	ט	***t*** as in *t*ap
Yod	י	***y*** as in *y*ellow**
Kaf	כּ כ (final form ך)	with dot: ***k*** as in *k*ite; without dot: ***ch*** as in lo*ch*
Lamed	ל	***l*** as in *l*emon
Mem	מ (final form ם)	***m*** as in *m*at
Nun	נ (final form ן)	***n*** as in *n*ight
Samech	ס	***s*** as in *s*ea
Ayin	ע	silent*
Peh	פּ פ (final form ף)	with dot: ***p*** as in *p*et; without dot: ***f*** as in *f*ight
Tzadi	צ (final form ץ)	***ts*** as in ca*ts* (written as tz)
Qof (say "kof")	ק	***k*** as in *k*ite
Resh	ר	***r*** (made at the back of throat, sounds a little like gargling)
Shin	שׁ	***sh*** as in *sh*oe
Sin	שׂ	***s*** as in *s*ea
Tav	ת	***t*** as in *t*ap

* Just say the vowel that is written under or after the letter (reading from right to left).

** These letters can be confusing, because sometimes they are read as vowels (see below). Check the pronunciation guide to make sure you are getting it right.

Vowels

Hebrew vowels are shown with dots and dashes that go under or after the letters. Below, we have used the letter *alef*, א, to show the different sounds they make. Because *alef* is silent, only the vowels are pronounced.

Hebrew vowel	Pronunciation
אָ אַ אֲ	***a*** as in b*a*t
אִ אִי	***ee*** as in f*ee*l
אֵ אֵי אֶ אֱ	***e*** as in t*e*n
אֹ אוֹ אֳ	***o*** as in t*o*p
אֻ אוּ	***oo*** as in t*oo*

טְ The two dots on top of one another are called *shewa*. Sometimes they are silent, and sometimes they are pronounced ***e*** as in ten. Check the pronunciation guide to help you with this.

א

אַבָּא	*aba*	father
אַבְזָם	*avzam*	buckle
אָבִיב	*aveev*	spring
אֲבָנִים	*avaneem*	stones
אַבְקַת כְּבִיסָה	*avkat kveesa*	laundry detergent
אֶגֶד מְדַבֵּק	*eged meedabek*	adhesive bandage
אֲגוּדָל	*agoodal*	thumb
אֲגַם	*agam*	lake
אַגָּס	*agas*	pear
אָדֹם	*adom*	red
אֲדָמָה	*adama*	dirt
אֹהָלִים	*ohaleem*	tents
אוֹגֵר	*oger*	hamster
אַוָּזִים	*avazeem*	geese
אוֹטוֹבּוּס	*otoboos*	bus
אוֹלָר	*olar*	pocketknife
אוֹמִים	*oomeem*	nuts
אוֹפֶה	*ofa*	baker
אוֹפַנּוֹעַ	*ofano'a*	motorcycle
אוֹפַנַּיִם	*ofana'yeem*	bicycle
אוֹרְחִים	*or'cheem*	guests
אָזְנַיִם	*ozna'yeem*	ears
אָח	*ach*	nurse
אָח	*ach*	brother
אַחַד עָשָׂר/ אַחַת עֶשְׂרֵה	*achad asar/ achat esreh*	eleven
אֶחָד/אַחַת	*echad/achat*	one
אָחוֹר	*achor*	back
אָחוֹת	*achot*	sister
אַחֲרוֹן	*acharon*	last
אִטִּי	*eetee*	slow
אִי	*ee*	island
אַיָּל	*a'yal*	deer
אַיָּל צָפוֹן	*a'yal tzafon*	reindeer
אִישׁ	*eesh*	man
אֻכָּף	*ookaf*	saddle
אִכָּר	*eekar*	farmer
אֶלִיפְּסָה	*eleepsa*	oval
אָלֶף-בֵּית	*alef bet*	alphabet
אִמָּא	*eema*	mother
אַמְבּוּלַנְס	*amboolans*	ambulance
אַמְבַּטְיָה	*ambatya*	bathtub
אֲנִי	*anee*	me
אֳנִיָּה	*onee'ya*	ship
אֲנָנָס	*ananas*	pineapple
אַנְשֵׁי חָלָל	*anshay chalal*	spacemen
אַסְלָה	*aslah*	toilet
אָסָם	*asam*	barn
אַף	*af*	nose
אֲפוּדָה	*afooda*	cardigan
אֲפוּנָה	*afoona*	peas
אָפֹר	*afor*	gray
אֶפְרוֹחִים	*efrocheem*	chicks
אֲפַרְסֵק	*afarsek*	peach
אֶצְבָּעוֹת	*etzba'ot*	fingers
אֶצְבְּעוֹת רַגְלַיִם	*etzbe'ot ragla'yeem*	toes
אַצּוֹת	*atzot*	seaweed
אַקְוַרְיוּם	*akvar'yoom*	aquarium
אַקְרוֹבָּטִים	*akrobateem*	acrobats
אֲרֻבָּה	*arooba*	chimney
אַרְבָּה	*arba*	barge
אַרְבָּעָה עָשָׂר/ אַרְבַּע עֶשְׂרֵה	*arba'a asar/ arba esreh*	fourteen
אַרְבָּעָה/אַרְבַּע	*arba'a/arba*	four
אַרְגַּז חוֹל	*argaz chol*	sandpit
אֻרְוָה	*oorva*	stable
אֲרוּחַת בֹּקֶר	*aroochat boker*	breakfast
אֲרוּחַת עֶרֶב	*aroochat erev*	supper or dinner
אֲרוּחַת צָהֳרַיִם	*aroochat tzo'hora'yeem*	lunch or dinner
אָרוֹךְ	*aroch*	long
אָרוֹן	*aron*	closet
אֲרוֹן בְּגָדִים	*aron bgadeem*	closet (for clothes)
אֹרֶז	*orez*	rice
אַרְיֵה	*aryeh*	lion
אֲרִיחִים	*areecheem*	tiles
אַרְמוֹן חוֹל	*armon chol*	sandcastle
אַרְנָב	*arnav*	rabbit
אַרְנָק	*arnak*	coin purse
אִשָּׁה	*eesha*	woman, wife
אֶשְׁכּוֹלִית	*eshkoleet*	grapefruit
אַשְׁפָּה	*ashpa*	trash
אֵת	*et*	shovel

ב

בֻּבּוֹת	*boobot*	dolls
בֻּבּוֹת עַל חוּט	*boobot al choot*	puppets
בֶּגֶד יָם	*beged yam*	swimsuit
הַבְּגָדִים שֶׁלִּי	*ha-bgadeem shelee*	my clothes
בּוּלֵי עֵץ	*boolay etz*	logs
בּוֹלְמֵי זַעֲזוּעִים	*bolmay zazoo'eem*	buffers
בּוֹנֶה	*boneh*	beaver
בּוֹר	*bor*	hole
בַּחוּץ	*bachootz*	out
בֶּטֶן	*beten*	tummy
בֵּיצָה רַכָּה	*bay'tza raka*	boiled egg
בֵּיצִים	*bay'tzeem*	eggs
בֵּיצַת עַיִן	*bay'tzat a'yin*	fried egg
בַּיִת	*ba'yeet*	house
בַּבַּיִת	*ba-ba'yeet*	at home
בֵּית בֻּבּוֹת	*bet boobot*	dollhouse
בֵּית דִּירוֹת	*bet deerot*	apartment block
בֵּית הָאִכָּר	*bet ha-eekar*	farmhouse
בֵּית חֲרֹשֶׁת	*bet charoshet*	factory
בֵּית מָלוֹן	*bet malon*	hotel
בֵּית סֵפֶר	*bet sefer*	school
בֵּית קָפֶה	*bet kafeh*	café
בְּבֵית הַחוֹלִים	*be-vet ha-choleem*	at the hospital
בְּבֵית הַמְּלָאכָה	*be-vet ha-mlacha*	in the workshop
בְּבֵית הַסֵּפֶר	*be-vet ha-sefer*	at school
בָּלוֹן	*balon*	balloon
בֵּן	*ben*	son
בֶּן-דּוֹד	*ben-dod*	cousin
בָּנָנָה	*banana*	banana
בַּעַל	*ba'al*	husband
בִּפְנִים	*beefneem*	in
בֹּץ	*botz*	mud
בָּצָל	*batzal*	onion
בַּקְבּוּקִים	*bakbookeem*	bottles
בֹּקֶר	*boker*	morning
בַּרְבּוּרִים	*barbooreem*	swans
בְּרָגִים	*brageem*	screws
בְּרָגִים גְּדוֹלִים	*brageem gdoleem*	bolts
בַּרְוָזוֹנִים	*barvazoneem*	ducklings
בַּרְוָזִים	*barvazeem*	ducks
בֶּרֶז	*berez*	faucet
בֶּרֶךְ	*berech*	knee
בְּרֵכָה	*brecha*	pond
בְּרֵכַת שְׂחִיָּה	*brechat schee'ya*	swimming pool
בָּרָק	*barak*	lightning
בָּשָׂר	*basar*	meat
בַּת	*bat*	daughter
בַּת יַעֲנָה	*bat ya'ana*	ostrich

ג

גַּב	*gav*	back
גַּבָּה	*gaba*	eyebrow

גָּבוֹהַּ	*ga**vo'ah***	high
גְּבִינָה	*gvee**na***	cheese
גֶּבֶס	***ge**ves*	cast
גִּבְעָה	*geev'**a***	hill
גַּג	*gag*	roof
גָּדוֹל	*ga**dol***	big
גָּדֵר	*ga**der***	fence
גָּדֵר חַיָּה	*ga**der** cha'**ya***	hedge
ג'וּדוֹ	***joo**do*	judo
גּוּפִיָּה	*goofee'**ya***	undershirt
גּוּרֵי שׁוּעָל	*goo**ray** shoo'**al***	fox cubs
גּוֹרִילָה	*go**ree**la*	gorilla
גּוּרִים	*goo**reem***	cubs
גּוֹרֵר	*go**rer***	tow truck
גֶּזֶר	***ge**zer*	carrot
גִּיטָרָה	*gee**ta**ra*	guitar
גִּיר	*geer*	chalk
גִּירִית	*gee**reet***	badger
ג'ִירָפָה	*jee**ra**fa*	giraffe
גַּלְגַּל	*gal**gal***	wheel
גַּלְגַּל עֲנָק	*gal**gal a**nak*	Ferris wheel
גַּלְגִּלִּיּוֹת	*galgeelee**yot***	roller blades
גְּלוֹבּוּס	***glo**boos*	globe
גְּלוּלוֹת	*gloo**lot***	pills
גֻּלּוֹת	*goo**lot***	marbles
גְּלִידָה	***glee**da*	ice cream
גַּלִּים	*ga**leem***	waves
גְּלִישָׁה	*glee**sha***	skiing
גְּלִישַׁת אֲוִיר	*glee**shat a**veer*	hang-gliding
גְּלִישַׁת רוּחַ	*glee**shat roo**'ach*	windsurfing
גָּמָל	*ga**mal***	camel
בַּגִּנָּה	*ba-gee**na***	in the yard
גַּפְרוּרִים	*gafroo**reem***	matches
גַּרְבּוֹנִים	*garbo**neem***	tights
גַּרְבַּיִם	*gar**ba**'yeem*	socks
גַּרְזֶן	*gar**zen***	ax
גֶּשֶׁם	***ge**shem*	umbrella
גֶּשֶׁר	***ge**sher*	bridge

ד

דֹּב	*dov*	bear
דֹּב לָבָן	*dov la**van***	polar bear
דֻּבְדְּבָן	*doovde**van***	cherry
דֻּבּוֹן	*doo**bon***	teddy bear
דְּבוֹרָה	*dvo**ra***	bee
דֶּבֶק	***de**vek*	glue
דְּבַשׁ	***dvash***	honey
דָּג	*dag*	fish
דְּגֵי זָהָב	***dgay** za**hav***	goldfish
דֶּגֶל	***de**gel*	flag
דְּגָנִים	*dega**neem***	cereal
דּוֹד	*dod*	uncle
דּוֹדָה	***do**da*	aunt
דּוֹלְפִין	*dol**feen***	dolphin
דַּוָּר	*da**var***	mail carrier
דַּחְלִיל	*dach**leel***	scarecrow
דַּיִג	***da'y**eeg*	fishing
דַּיָּג	*da'**yag***	fisherman
דִּיר חֲזִירִים	*deer chazee**reem***	pigsty
דַּלְגִּית	*dal**geet***	jump-rope
דְּלִי	*dlee*	bucket
דְּלַעַת	***dla**'at*	pumpkin
דֶּלֶק	***de**lek*	gas
דֶּלֶת	***de**let*	door

ה

הֶאָבְקוּת סוּמוֹ	*he'av**koot soo**mo*	sumo wrestling
הוֹלֵךְ עַל חֶבֶל	*ho**lech** al **che**vel*	tightrope walker
הַחְלָקָה עַל קֶרַח	*hachla**ka** al **ke**rach*	ice skating
הַחְלָקָה עַל שֶׁלֶג	*hachla**ka** al **she**leg*	snowboarding
הַמְבּוּרְגֶּר	***ham**boorger*	hamburger
הֲפָכִים	*hafa**cheem***	opposites
הַר	*har*	mountain
הַרְבֵּה	*har**beh***	many
הִתְעַמְּלוּת	*heet'am**loot***	gym

ו

וֶטֶרִינָרִית	*vetereena**reet***	vet
וִילוֹן	*vee**lon***	curtain
וָרֹד	*va**rod***	pink

ז

זְאֵב	*ze'**ev***	wolf
זְבוּב	*zvoov*	fly
זֶבְּרָה	***ze**bra*	zebra
זַחַל	***za**chal*	caterpillar
זִקּוּקִין דִּי נוּר	*zeekoo**keen** dee noor*	fireworks
זַמָּר	*za**mar***	singer - man
זַמֶּרֶת	*za**me**ret*	singer - woman
זָנָב	*za**nav***	tail
ז'ָקֶט	*ja**ket***	jacket
זְרוֹעַ	*zr**o**'a*	arm
זְרָעִים	*zra'**eem***	seeds

ח

חֲבִילוֹת קַשׁ	*chavee**lot** kash*	straw bales
חָבִית	*cha**veet***	barrel
חֲבִיתָה	*chavee**ta***	omelette
חֲבִיתִיּוֹת	*chaveetee'**yot***	pancakes
חֶבֶל	***che**vel*	rope
חֶבֶל מָתוּחַ	***che**vel ma**too**'ach*	tightrope
חַג הַמּוֹלָד	*chag ha-mo**lad***	Christmas
חֲגוֹרָה	*chago**ra***	belt
חֶדֶק	***che**dek*	trunk
חֲדַר אוֹרְחִים	*cha**dar** or**cheem***	living room
חֲדַר אַמְבַּטְיָה	*cha**dar** am**bat**ya*	bathroom
חֲדַר הַלְבָּשָׁה	*cha**dar** halba**sha***	changing room
חֲדַר הַמְתָּנָה	*cha**dar** hamta**na***	waiting room
חֲדַר שֵׁנָה	*cha**dar** she**na***	bedroom
חָדָשׁ	*cha**dash***	new
חוּט	*choot*	string
חוּם	*choom*	brown
חוֹף	*chof*	beach
חָזֶה	*cha**zeh***	chest
חֲזִירוֹנִים	*chazeero**neem***	piglets
חֲזִירִים	*chazee**reem***	pigs
חֲזִית	*cha**zeet***	front
חַי	*cha'y*	alive
חַיּוֹת	*cha'**yot***	animals
חַיּוֹת מַחְמָד	*cha'**yot** mach**mad***	pets
חַיָּלֵי עוֹפֶרֶת	*cha'ya**lay** o**fe**ret*	soldiers
חַיַּת מַחְמָד	*cha'**yat** mach**mad***	pet
חַכָּה	*cha**ka***	fishing rod
חָלָב	*cha**lav***	milk
חַלּוֹן	*cha**lon***	window
חָלוּק	*cha**look***	bathrobe
חַלּוּקֵי אֶבֶן	*chaloo**kay e**ven*	pebbles
חִלָּזוֹן	*cheela**zon***	snail
חֲלִילִית	*chalee**leet***	recorder
חָלָל	*cha**lal***	space
חֻלְצָה	*chool**tza***	shirt
חֻלְצַת טְרִיקוֹ	*chool**tzat** tree**ko***	t-shirt
חַם	*cham*	hot
חֶמְאָה	*chem'**ah***	butter
חֲמוֹר	*cha**mor***	donkey
חֲמָמָה	*chama**ma***	greenhouse
חֵמָר	*chay**mar***	clay
חֲמִשָּׁה עָשָׂר/ חֲמֵשׁ עֶשְׂרֵה	*chamee**sha** a**sar**/ cha**mesh** es**reh***	fifteen

חֲמִשָּׁה/חָמֵשׁ	chamee**sha**/ cha**mesh**	five
חֲנוּת	cha**noot**	store
בַּחֲנוּת	ba-cha**noot**	in the store
בַּחֲנוּת הַצַּעֲצוּעִים	ba-cha**noot** ha-tza'atzoo'**eem**	in the toyshop
חַסָּה	**cha**sa	lettuce
חֲפַרְפֶּרֶת	chafar**per**et	mole
חֻפְשָׁה	choof**sha**	holiday
חֲצָאִית	chatza'**eet**	skirt
חֲצוֹצְרָה	chatzotz**ra**	trumpet
חִצִּים	chee'**tzeem**	arrows
חֲרוּזִים	charoo**zeem**	beads
חָרוּט	cha**root**	cone
חֹרֶף	**cho**ref	winter
חֶשְׁבּוֹן	chesh**bon**	math problems
חָשׁוּךְ	cha**shooch**	dark
חִשּׁוּק	chee**shook**	hoop
חִתּוּל	chee**tool**	diaper
חָתוּל	cha**tool**	cat
חֲתֻנָּה	chatoo**na**	wedding day
חֲתִירָה	chatee**ra**	rowing
חֲתַלְתּוּל	chatal**tool**	kitten
חָתָן	cha**tan**	bridegroom

ט

טַבָּח	ta**bach**	chef
טַבַּעַת	ta**ba'**at	ring
טֻגָּנִים	tooga**neem**	French fries
טוֹב	tov	good
טוּשִׁים	too'**sheem**	felt-tip pens
טַחֲנַת רוּחַ	tacha**nat roo'**ach	windmill
טִיגְרִיס	**teeg**rees	tiger
טִיל	teel	rocket
טַיָּס	ta'**yas**	pilot
טַיַּס חָלָל	ta'**yas** cha**lal**	astronaut
טִירָה	tee**ra**	castle
טַל	tal	dew
טֶלֶוִיזְיָה	tele**veez**ya	television
טְלָיִים	tla'**yeem**	lambs
טֶלֶסְקוֹפּ	**te**leskop	telescope
טֶלֶפוֹן	**te**lefon	telephone
טֶנִיס	**te**nees	tennis
טֶנִיס שֻׁלְחָן	**te**nees shool**chan**	table tennis
טִפּוּס הָרִים	tee**poos** ha**reem**	climbing
טְרַפֶּז	tra**pez**	trapeze
טְרַקְטוֹר	**trak**tor	tractor

י

יָבֵשׁ	ya**vesh**	dry
יָדִית	ya**deet**	door handle
יוֹגוּרְט	**yo**goort	yogurt
יוֹם הֻלֶּדֶת	yom hoo**le**det	birthday
יוֹם חֲמִישִׁי	yom chamee**shee**	Thursday
יוֹם רִאשׁוֹן	yom ree**shon**	Sunday
יוֹם רְבִיעִי	yom revee'**ee**	Wednesday
יוֹם שְׁלִישִׁי	yom shlee**shee**	Tuesday
יוֹם שֵׁנִי	yom she**nee**	Monday
יוֹם שִׁשִּׁי	yom shee**shee**	Friday
יוֹנָה	yo**na**	pigeon
יֶלֶד	**ye**led	boy
יַלְדָּה	yal**da**	girl
יְלָדִים	yela**deem**	children
יָם	yam	sea
יְמֵי הַשָּׁבוּעַ	ye**may** ha-sha**voo'**a	days of the week
יְמֵי חַג	ye**may** chag	special days
יָמִין	ya**meen**	right
יַנְשׁוּף	yan**shoof**	owl
יַעַר	**ya'**ar	forest
יָרוֹק	ya**rok**	green
יָרֵחַ	ya**re'**ach	moon
יְרָקוֹת	yera**kot**	vegetables
יַשְׁבָן	yash**van**	bottom
יָשָׁן	ya**shan**	old

כ

כַּבַּאי	ka**ba'y**	firefighter
כְּבִישׁ	kveesh	road
כְּבָשִׂים	kva**seem**	sheep
כַּדּוּר	ka**door**	ball
כַּדּוּר בָּסִיס	ka**door** ba**sees**	baseball
כַּדּוּר פּוֹרֵחַ	ka**door** po**ray'**ach	hot-air balloon
כַּדּוּרֶגֶל	kadoo**re**gel	soccer
כַּדּוּרְסַל	kadoor**sal**	basketball
כּוֹבַע	**ko**va	hat
כּוֹבַע מִצְחִיָּה	**ko**va meetz'chee**ya**	cap
כּוֹבַע שֶׁמֶשׁ	**ko**va **she**mesh	sunhat
כּוֹכָב	ko**chav**	star
כּוֹכַב יָם	ko**chav** yam	starfish
כּוֹכַב לֶכֶת	ko**chav le**chet	planet
כּוֹסוֹת	ko**sot**	glasses
כַּוֶּרֶת	ka**ve**ret	beehive
כָּחֹל	ka**chol**	blue
כִּיּוֹר	kee'**yor**	sink
כִּיסִים	kee**seem**	pockets
כֶּלֶב	**ke**lev	dog
כֶּלֶב יָם	**ke**lev yam	seal
כֶּלֶב רוֹעִים	**ke**lev ro'**eem**	sheepdog
כְּלַבְלַב	klav**lav**	puppy
כַּלָּה	ka**la**	bride
כְּלוּב	kloov	cage
כְּלֵי תַּחְבּוּרָה	k'**lay** tachboo**ra**	transportation
כְּנִיסָה	k'nee'**sa**	hall
כָּנָף	ka**naf**	wing
כִּסֵּא	kee**seh**	chair
כִּסֵּא גַּלְגַּלִּים	kee**seh** galga**leem**	wheelchair
כִּסֵּא נֹחַ	kee**seh no'**ach	beach chair
כֶּסֶף	**ke**sef	money
כַּף אַשְׁפָּה	kaf ash**pa**	dustpan
כַּף יָד	kaf yad	hand
כַּף לַגִּנָּה	kaf lagee**na**	trowel
כַּף רֶגֶל	kaf **re**gel	foot
כְּפוֹר	kfor	frost
כַּפּוֹת	ka**pot**	spoons
כַּפִּיּוֹת	kapee'**yot**	teaspoons
כְּפָפוֹת	kfa**fot**	gloves
כְּפָר	kfar	village, countryside
בַּכְּפָר	ba-**kfar**	in the countryside
כַּפְתּוֹרִים	kafto**reem**	buttons
כַּר	kar	pillow
כְּרוּב	kroov	cabbage
כְּרוּבִית	kroo**veet**	cauliflower
כַּרְטִיס בְּרָכָה	kar**tees** bra**cha**	birthday card
כַּרְטִיסֵי בְּרָכָה	kartee**say** bra**cha**	cards
כַּרְטִיסָנִית	kartee**sa**neet	conductor
כָּרִיךְ	ka**reech**	sandwich
כָּרִישׁ	ka**reesh**	shark
כָּרִית	ka**reet**	cushion
כְּרֵשָׁה	kre**sha**	leek
כָּתֹם	ka**tom**	orange (color)
כְּתֹנֶת לַיְלָה	ktonet **la'**yla	nightgown
כְּתֵפַיִם	kte**fa'**yeem	shoulders

ל

לֶאֱכֹל	le'e**chol**	to eat
לִבְכּוֹת	leev**kot**	to cry
לָבָן	la**van**	white
לְבֵנִים	leve**neem**	bricks

לְבַשֵּׁל	*levashel*	to cook
לִגְזֹר	*leegzor*	to cut
לִדְחֹף	*leedchof*	to push
לְדַלֵּג	*ledaleg*	to skip
לַהֲטוּטָן	*lahatootan*	juggler
לְהִסְתַּכֵּל	*leheestakel*	to watch
לְהַקְשִׁיב	*leharkeev*	to make
לְהַרְכִּיב	*lehaksheev*	to listen
לְהִתְחַבֵּא	*leheetchabeh*	to hide
לְהִתְקוֹטֵט	*leheetkotet*	to fight
לְהִתְרַחֵץ	*leheetrachetz*	to wash
לוּחַ	*loo'ach*	board
לוּחַ שָׁנָה	*loo'ach shana*	calendar
לִוְיָתָן	*leev'yatan*	whale
לוּל	*lool*	hen house
לוּלָאוֹת	*loola'ot*	button holes
לוּלְיָן עַל אוֹפַנַּיִם	*lool'yan al ofana'yeem*	unicyclist
בַּלּוּנָה-פַּרְק	*ba-loona park*	at the amusement park
לִזְחֹל	*leezchol*	to crawl
לִזְרֹק	*leezrok*	to throw
לַחְטֹב	*lachtov*	to chop
לֶחִי	*lechee*	cheek
לְחַיֵּךְ	*lecha'yech*	smile
לְחַכּוֹת	*lechakot*	to wait
לֶחֶם	*lechem*	bread
לֶחֶם קָלוּי	*lechem kaloo'ee*	toast
לַחְמָנִיּוֹת	*lachmanee'yot*	rolls
לַחְפֹּר	*lachpor*	to dig
לַחְשֹׁב	*lachshov*	to think
לְטָאָה	*leta'ah*	lizard
לְטַאטֵא	*leta'teh*	sweep
לְטַפֵּס	*leta'pes*	to climb
לַיְלָה	*la'yla*	night
לִימוֹן	*leemon*	lemon
לֵיצָן	*laytzan*	clown
לִישֹׁן	*leeshon*	to sleep
לִכְתֹּב	*leechtov*	to write
לָלֶכֶת	*lalechet*	to walk
לְמַטָּה	*lemata*	downstairs
לְמַעְלָה	*lemala*	upstairs
לִמְשֹׁךְ	*leemshoch*	to pull
לִנְשֹׁף	*leenshof*	to blow
לִסְרֹג	*leesrog*	to knit
לִפֹּל	*leepol*	to fall
לִצְחֹק	*leetzchok*	to laugh
לְצַיֵּר	*letza'yer*	to paint
לָקַחַת	*lakachat*	to take
לִקְטֹף	*leektof*	to pick
לִקְנוֹת	*leeknot*	to buy
לִקְפֹּץ	*leekpotz*	to jump
לִקְרֹא	*leekro*	to read
לָרוּץ	*larootz*	to run
לִרְקֹד	*leerkod*	to dance
לָשֵׂאת	*la'set*	to carry
לִשְׁבֹּר	*leeshbor*	to break
לָשֶׁבֶת	*lashevet*	to sit
לְשׂוֹחֵחַ	*lesoche'ach*	to talk
לָשׁוֹן	*lashon*	tongue
לְשַׂחֵק	*lesa'chek*	to play
לָשִׁיר	*lasheer*	to sing
לִשְׁתּוֹת	*leeshtot*	to drink
לִתְפֹּס	*leetpos*	to catch
לִתְפֹּר	*leetpor*	to sew

מ

מֹאזְנַיִם	*mozna'yeem*	scales
מַבְרֵג	*mavreg*	screwdriver
מִבְרֶשֶׁת	*meevreshet*	brush
מִבְרֶשֶׁת שִׁנַּיִם	*meevreshet sheena'yeem*	toothbrush
מִבְרֶשֶׁת שֵׂעָר	*meevreshet se'ar*	hairbrush
מִגְבַּעַת	*meegba'at*	top hat
מַגֶּבֶת	*magevet*	towel
מַגֶּבֶת מִטְבָּח	*magevet meetbach*	dish towel
מִגְדַּל פִּקּוּחַ	*meegdal peekoo'ach*	control tower
מִגְדַּל שַׁעֲשׁוּעִים	*meegdal sha'ashoo'eem*	slide
מִגְדַּלּוֹר	*meegdalor*	lighthouse
מַגְהֵץ	*mag'hetz*	iron
מַגְלֵשָׁה	*maglesha*	slide
מִגְלָשַׁיִם	*meeglasha'yeem*	skis
מַגָּפַיִם	*magafa'yeem*	boots
מְגֵרָה	*megera*	drawer
מַגְרֵפָה	*magrefa*	rake
מִגְרַשׁ מִשְׂחָקִים	*meegrash meeschakeem*	playground
מַגָּשׁ	*magash*	tray
מְדוּרָה	*medoora*	bonfire
מַדְחֹם	*madchom*	thermometer
מַדְרֵגוֹת	*madregot*	stairs, steps
מִדְרָכָה	*meedracha*	sidewalk
מָהִיר	*maheer*	fast
מוּאָר	*moo'ar*	light
מוֹט	*mot*	pole
מוֹט סְקִי	*mot skee*	ski pole
מוֹנִית	*moneet*	taxi
הַמּוּסָךְ	*ha-moosach*	garage
מוֹרָה	*mora*	teacher
מֶזֶג אֲוִיר	*mezeg aveer*	weather
מִזְוָדָה	*meezvada*	suitcase
מָזוֹן	*mazon*	food
מָזוֹן לִכְלָבִים	*mazon leechlaveem*	dog food
מִזְחֶלֶת	*meezchelet*	sleigh
מַזְלֵגוֹת	*mazlegot*	forks
מַזְלֵף	*mazlef*	watering can
מַזְרֵק	*mazrek*	syringe
מַחְבֵּט	*machbet*	racket, bat (sports)
מַחְבֶּרֶת	*machberet*	notebook
מַחֲבַת	*machavat*	frying pan
מְחִית תַּפּוּחֵי אֲדָמָה	*mecheet tapoochay adama*	mashed potatoes
מַחֲלִיקַיִם	*machleeka'yeem*	ice skates
מַחְפֵּר	*machper*	bulldozer
מַחְצֶלֶת	*machtzelet*	mat
מַחַק	*machak*	eraser
מַחְרֹזֶת	*machrozet*	necklace
מַחֲרֵשָׁה	*macharesha*	plow
מַחְשֵׁב	*machshev*	computer
מַטְאֲטֵא	*matateh*	broom
בַּמִּטְבָּח	*ba-meetbach*	In the kitchen
מִטָּה	*meeta*	bed
מָטוֹס	*matos*	plane
מַטְלִית אָבָק	*matleet avak*	dust cloth
מַטָּע	*mata*	orchard
מַטָּרָה	*matara*	target
מִטְרִיָּה	*meetree'ya*	rain
מֵיזָע	*mayza*	sweatshirt
מַיִם	*ma'yeem*	water
מִיץ פֵּרוֹת	*meetz perot*	fruit juice
מַכְבֵּשׁ	*machbesh*	steamroller
מְכוֹנַאי	*mechona'y*	mechanic - man
מְכוֹנָאִית	*mechona'eet*	mechanic - woman
מְכוֹנִיּוֹת שַׁעֲשׁוּעִים	*mechonee'yot sha'ashoo'eem*	bumper cars
מְכוֹנִית	*mechoneet*	car

מְכוֹנִית כִּבּוּי	*mecho**neet** keeb**oo**'ee*	fire engine
מְכוֹנִית מִסְחָרִית	*mecho**neet** mees'chareet*	van
מְכוֹנִית מֵרוֹץ	*mecho**neet** me**rotz***	race car
מְכוֹנִית מִשְׁטָרָה	*mecho**neet** meesh**ta**ra*	police car
מְכוֹנַת כְּבִיסָה	*mecho**nat** kvee**sa***	washing machine
מְכוֹנַת כַּרְטִיסִים	*mecho**nat** kartee**seem***	ticket machine
מִכְחוֹל	*meech**chol***	brush
מְכָלִית	*mecha**leet***	tanker
מְכָלִית דֶּלֶק	*mecha**leet de**lek*	gas tanker
מְכָלִית נֵפְט	*mecha**leet** neft*	oil tanker
מִכְנְסֵי ג'ינְס	*meechne**say** jeens*	jeans
מִכְנָסַיִם	*meechna**sa'y**eem*	underwear
מִכְנָסַיִם קְצָרִים	*meechna**sa'y**eem ketza**reem***	shorts
מִכְסֵה מָנוֹעַ	*meech**seh** mano'a*	hood (of a car)
מַכְסֵחָה	*machse**cha***	lawn mower
מִכְתָּבִים	*meechta**veem***	letters
מָלֵא	*ma**leh***	full
מַלְבֵּן	*mal**ben***	rectangle
מֵלוֹן	*me**lon***	melon
מְלוּנָה	*mloo**na***	kennel
מֶלַח	***me**lach*	salt
מַלָּח	*ma**lach***	sailor
מֶלְחָצַיִם	*melcha**tza'y**eem*	vise
מְלֻכְלָךְ	*melooch**lach***	dirty
מְלָפְפוֹן	*melafe**fon***	cucumber
מֶלְצַר	*mel**tzar***	waiter
מֶלְצָרִית	*meltza**reet***	waitress
מִמְחָטָה	*meemcha**ta***	handkerchief
מִמְחֲטוֹת נְיָר	*meemcha**tot** ne**yar***	tissues
מַמְטֵרָה	*mamte**rah***	sprinkler
מִנְהָרָה	*meenha**ra***	tunnel
מָנוֹעַ	*ma**no**'a*	engine
מְנוֹרָה	*meno**rah***	lamp
מַנְחֶה	*man**cheh***	ringmaster
בַּמְּסִבָּה	*ba-mesee**ba***	at the party
מַסּוֹק	*ma**sok***	helicopter
מַסּוֹר	*ma**sor***	saw
מַסֵּכוֹת	*mase**chot***	masks
מַסְלוּל	*mas**lool***	runway
מַסְמְרִים	*masme**reem***	nails
מִסְפָּרִים	*meespa**reem***	numbers
מִסְפָּרַיִם	*meespa**ra'y**eem*	scissors
מַסְרֵק	*mas**rek***	comb
מַעֲבַר חֲצָיָה	*ma'a**var** chatza**ya***	crosswalk
מַעְדֵּר	*ma'**ader***	hoe
מְעַט	*me'**at***	few
מְעִיל	*me'**eel***	coat
מְעַיָּן	*me'oo**yan***	diamond
מֵעַל	*may'**al***	over
מַעֲלִית	*ma'a**leet***	elevator
מַפָּה	*ma**pa***	map
מַפּוּחִית פֶּה	*mapoo**cheet** peh*	harmonica
מַפַּל מַיִם	*ma**pal** ma'yeem*	waterfall
מִפְרָשׂ	*mee**fras***	sail
מַפַּת שֻׁלְחָן	*ma**pat** shool**chan***	tablecloth
מַפְתֵּחַ	*maf**te**'ach*	key
מַפְתֵּחַ בְּרָגִים	*maf**te**'ach bra**geem***	wrench
מַצְבֵּר	*matz**ber***	battery
מַצְלֵמָה	*matzle**ma***	camera
מַצְנֵחַ	*matz**ne'**ach*	parachute
מַקְדֵּחָה	*makde**cha***	drill
מַקּוֹר	*ma**kor***	beak
מַקֵּל הֲלִיכָה	*ma**kel** halee**cha***	walking stick
מַקֵּל סְחָבָה	*ma**kel** scha**va***	mop

מַקְלוֹת	*mak**lot***	sticks
מַקְלוֹת אֲכִילָה	*mak**lot** achee**la***	chopsticks
מִקְלַחַת	*meek**la**chat*	shower
מַקְצוּעַ	*mak**tzoo**'a*	plane
מִקְצוֹעוֹת	*meektzo'**ot***	jobs
מְקָרֵר	*meka**rer***	refrigerator
מַרְאָה	*mar'**ah***	mirror
מַרְבַד	*mar**vad***	rug
מֵרוֹץ	*me**rotz***	race
מְרִיצָה	*meree**tza***	wheelbarrow
מַרְפֵּק	*mar**pek***	elbow
מָרָק	*ma**rak***	soup
מַשְׁאֵבַת דֶּלֶק	*mash'e**vat de**lek*	gas pump
מַשָּׂאִית	*masa'**eet***	truck
מָשׁוֹט	*ma**shot***	oar, paddle
מִשְׂחֲקֵי רִשּׁוּקִים	*mees'cha**kay** cheeshoo**keem***	ring toss
מִשְׁחַת שִׁנַּיִם	*meesh'**chat** shee**na'y**eem*	toothpaste
מְשֻׁלָּשׁ	*meshoo**lash***	triangle
מִשְׁמֵשׁ	*meesh**mesh***	apricot
מִשְׁפָּחָה	*meeshpa**cha***	families
בַּמֶּשֶׁק	*ba-**me**shek*	on the farm
מִשְׁקָפַיִם	*meeshka**fa'y**eem*	glasses
מַשְׁרוֹקִית	*mashro**keet***	whistle
מֵת	*met*	dead
מֶתֶג	***me**teg*	switch
מִתַּחַת	*mee**ta**chat*	under
מִתְלֶה	*meet**leh***	coat rack
מַתָּנָה	*mata**na***	present
מַתָּנוֹת	*mata**not***	presents
נ		
נַגָּר	*na**gar***	carpenter
נַדְנֵדָה	*nadne**da***	seesaw
נַדְנֵדוֹת	*nadne**dot***	swings
נֶהָג אוֹטוֹבּוּס	*ne**hag** otoboos*	bus driver
נֶהָג קַטָּר	*ne**hag** ka**tar***	engineer
נַהֶגֶת מַשָּׂאִית	*na**he**get masa'**eet***	truck driver
נָהָר	*na**har***	river
נוֹצוֹת	*no**tzot***	feathers
נוֹצִית	*no**tzeet***	badminton
נוּרָה	*noo**ra***	lightbulb
נַחַל	***na**chal*	stream
נָחָשׁ	*na**chash***	snake
נְיָר	*ne**yar***	paper
נְיַר זְכוּכִית	*ne**yar** zchoo**cheet***	sandpaper
נְיַר טוּאָלֶט	*ne**yar** to'**a**let*	toilet paper
נָמוּךְ	*na**mooch***	low
נְמַל הַתְּעוּפָה	*n'mal ha-te'oo**fa***	airport
נָמֵר	*na**mer***	leopard
נְסֹרֶת	*ne**so**ret*	sawdust
נַעֲלֵי בַּיִת	*na'a**lay ba**'yeet*	slippers
נַעֲלֵי הִתְעַמְּלוּת	*na'a**lay** heet'am**loot***	tennis shoes
נַעֲלַיִם	*na'a**la'y**eem*	shoes
נְעָצִים	*ne'a**tzeem***	tacks
נָקִי	*na**kee***	clean
נַקְנִיק	*nak**neek***	salami
נַקְנִיקִיָּה	*naknee**kee**ya*	sausage
נֵר	*ner*	candle
נֶשֶׁר	***ne**sher*	eagle
ס		
סַבָּא	***sa**ba*	grandfather
סַבּוֹן	*sa**bon***	soap
סַבְתָּא	***sav**ta*	grandmother
סָגוּר	*sa**goor***	closed
סָגֹל	*sa**gol***	purple
סָדִין	*sa**deen***	sheet
סַהֲרוֹן	*saha**ron***	crescent

סְוֶדֶר	**sve**der	sweater
סוּכָּר	soo**kar**	sugar
סוּס	soos	horse
סוּס יְאוֹר	soos ye'**or**	hippopotamus
סוּס נַדְנֵדָה	soos nadne**da**	rocking horse
סִינָר	see**nar**	apron
סִירָה	see**ra**	boat
סִירֵי בִּשּׁוּל	see**ray** bee**shool**	saucepans
סִירַת דַּיִּג	see**rat da'y**eeg	fishing boat
סִירַת מָנוֹעַ	see**rat** ma**no'**a	motor boat
סִירַת מִפְרָשׂ	see**rat** meef**ras**	sailboat
סִירַת מְשׁוֹטִים	see**rat** mesho**tim**	rowboat
סַכִּינִים	sakee**neem**	knives
סֶכֶר	**se**cher	lock
סֻכָּרִיָּה	sookar**ya**	candy
סַל	sal	basket
סַל נְיָרוֹת	sal neya**rot**	wastepaper basket
סַל קְנִיּוֹת	sal k'nee'**yot**	grocery sack
סָלָט	sa**lat**	salad
סֻלָּם	soo**lam**	ladder
סֻלָּם חֲבָלִים	soo**lam** chava**leem**	rope ladder
סַלְסִלָּה	salsee**la**	basket
סְלָעִים	sla'**eem**	rocks
סֶלֶרִי	**se**leree	celery
סְנָאִי	sna'**ee**	squirrel
סַנְדָּלִים	sanda**leem**	sandals
סַנְטָה קְלָאוּס	**san**ta klows	Santa Claus
סַנְטֵר	san**ter**	chin
סְנַפִּירִים	snapee**reem**	flippers
סְפָּגֶטִי	spa**ge**tee	spaghetti
סַפָּה	sa**pah**	sofa
סְפוֹג	sfog	sponge
סְפּוֹרְט וְהִתְעַמְּלוּת	sport ve-heetam**loot**	sports and exercise
סְפִינַת חָלָל	sfee**nat** cha**lal**	spaceship
סְפָלִים	sfa**leem**	cups
סַפְסָל	saf**sal**	bench
סַפָּר	sa**par**	barber
סְפָרִים	sfa**reem**	books
סְקֶטְבּוֹרְד	**sket**bord	skateboard
סְקִי מַיִם	**skee ma'y**eem	water-skier
סַרְגֵּל	sar**gel**	ruler
סֶרֶט	**se**ret	ribbon
סֶרֶט מִדָּה	**se**ret mee**da**	tape measure
סַרְטָן	sar**tan**	crab
סְתָו	stav	fall

ע

עַגְבָנִיָּה	agvanee'**ya**	tomato
עִגּוּל	ee**gool**	circle
עֲגוּרָן	agoo**ran**	crane
עֵגֶל	**e**gel	calf
עֲגָלָה	aga**la**	cart
עֶגְלַת טִיּוּל	eg**lat** tee**yool**	stroller
עֶגְלַת קְנִיּוֹת	eg**lat** k'nee'**yot**	shopping cart
עֶגְלַת תִּינוֹק	eg**lat** tee**nok**	baby buggy
עוּגָה	oo**ga**	cake
עוּגִיָּה	oogee**ya**	biscuit
עוּגַת יוֹם הוּלֶדֶת	oo**gat** yom hoo**le**det	birthday cake
עוֹנוֹת הַשָּׁנָה	o**not** ha-sha**na**	seasons
עוֹף	of	chicken
עֵז	ez	goat
עֵט	et	pen
עֲטַלֵּף	ata**lef**	bat
עַיִן	**a'y**een	eye
עַכָּבִישׁ	aka**veesh**	spider
עַכְבָּר	ach**bar**	mouse
עַל שְׂפַת הַיָּם	al sfat ha-**yam**	at the seaside
עֶלְיוֹן	el**yon**	top
עָלִים	a**leem**	leaves
עֲלִיַּת גַּג	alee**yat** gag	loft
עֲנָבִים	ana**veem**	grapes
עֲנִיבָה	anee**va**	tie
עֲנִיבַת פַּרְפַּר	anee**vat** par**par**	bow tie
עֲנָנִים	ana**neem**	clouds
עֲפִיפוֹן	afee**fon**	kite
עִפָּרוֹן	eepa**ron**	pencil
עֵץ	etz	tree
עֵץ אַשּׁוּחַ	etz a**shoo'**ach	Christmas tree
עֲצֵי הַסָּקָה	a**tzay** hasa**ka**	wood
עֵצִים	e**tzeem**	trees
עֶצֶם	**e**tzem	bone
עֶרֶב	**e**rev	evening
עֲרוּגַת פְּרָחִים	aroo**gat** pra**cheem**	flower bed
עֲרֵמַת שַׁחַת	are**mat sha**chat	haystack
עֲרָפֶל	ara**fel**	fog
עַרְפִלִּים	arpee**leem**	mist
עָשׁ	ash	moth
עֵשֶׂב	**e**sev	grass
עָשָׁן	a**shan**	smoke
עֲשָׂרָה/עֶשֶׂר	asa**ra**/**e**ser	ten
עֶשְׂרִים	es**reem**	twenty
עִתּוֹן	ee**ton**	newspaper

פ

פֶּה	peh	mouth
פוּטְבּוֹל אָמֶרִיקָאִי	**foot**bol ameree**ka'**ee	football
פּוֹנִי	**po**nee	pony
פּוֹפְּקוֹרְן	**pop**koren	popcorn
פָּזֶל	**pa**zel	jigsaw puzzle
פַּח אַשְׁפָּה	pach ash**pa**	trash can
פַּטִּישׁ	pa**teesh**	hammer
פֶּטֶל	**pe**tel	raspberry
פִּטְרִיָּה	peetree**'ya**	mushroom
פִּיגָ'מָה	pee**ja**ma	pajamas
פִּיל	peel	elephant
פִּינְגְּוִין	**peeng**ween	penguin
פִּיצָה	**pee**tza	pizza
פִּיקְנִיק	**peek**neek	picnic
פִּלְפֵּל	peel**pel**	pepper
פַּנְדָּה	**pan**da	panda
פָּנִים	pa**neem**	face
פָּנַס רְחוֹב	pa**nas** re**chov**	lamp post
פָּנָסִים קִדְמִיִּים	pana**seem** keedmee'**yeem**	headlights
פַּסֵּי רַכֶּבֶת	pa**say** ra**ke**vet	train track
פֶּסֶל	**pe**sel	statue
פְּסַנְתֵּר	psan**ter**	piano
פְּעֻלּוֹת	pe'oo**lot**	actions
פְּצִירָה	ptzee**ra**	file
פַּר	par	bull
פָּרָה	pa**ra**	cow
פֵּרוֹת	pe**rot**	fruit
פֵּרוֹת וִירָקוֹת	pe**rot** vee'ra**kot**	fruit and vegetables
פְּרָחִים	pra**cheem**	flowers
פַּרְפַּר	par**par**	butterfly
בַּפַּרְק	ba-**park**	in the park
פָּרַת מֹשֶׁה רַבֵּנוּ	pa**rat** mo**sheh** ra**be**noo	ladybug
פָּתוּחַ	pa**too'**ach	open
פִּתָּיוֹן	peeta'**yon**	bait

צ

צָב	tzav	tortoise
צַבָּע	tza**ba**	painter
צִבְעֵי אִפּוּר	tzeev'**ay** ee**poor**	face paints
צִבְעֵי מַיִם	tzeev'**ay ma'y**eem	watercolors
צִבְעֵי שַׁעֲוָה	tzeev'**ay** sha'a**va**	crayons

צְבָעִים	*tzva'**eem***	paints
צְבָעִים	*tzva'**eem***	colors
צֶדֶף	***tze**def*	shell
צָהֹב	*tza**hov***	yellow
צַוָּאר	*tza**var***	neck
צֶוֶת דַּיָּלֵי הַטִּיסָה	***tze**vet da'ya**lay** ha-tee**sa***	cabin crew
צוֹלֵל	*tzo**lel***	diver
צוֹלֶלֶת	*tzo**le**let*	submarine
צוּק	*tzook*	cliff
צוּרוֹת	*tzoo**rot***	shapes
צַיֶּרֶת	*tza'**ye**ret*	artist
צַלָּחוֹת	*tzala**chot***	plates
צַלָּם	*tza**lam***	photographer
צֶמַח	***tze**mach*	plant
צְמִיג	*tza**meeg***	tire
צֶמֶר גֶּפֶן	***tze**mer **ge**fen*	cotton balls
צֶמֶר גֶּפֶן מָתוֹק	***tze**mer **ge**fen ma**tok***	cotton candy
צִנּוֹר הַשְׁקָיָה	*tzee**nor** hashka**ya***	garden hose
צִנּוֹרוֹת	*tzeeno**rot***	pipes
צִנְצָנוֹת	*tzeentza**not***	jars
צָעִיף	*tza'**eef***	scarf
צַעֲצוּעִים	*tza'atzoo'**eem***	toys
צְפַרְדֵּעַ	*tzfar**de**'a*	frog
צִפֳּרִים	*tzeepo**reem***	birds
צְרִיף	*tzreef*	shed
צִרְעָה	*tzeer'**ah***	wasp
ק		
קֻבִּיָּה	*koobee'**ya***	cube
קֻבִּיּוֹת	*koobee'**yot***	dice
קֻבִּיּוֹת	*koobee'**yot***	blocks
קַבַּיִם	*ka**ba**'yeem*	crutches
קוֹלְנוֹעַ	*kol**no**'a*	movie theater
קוֹמִיקְס	***ko**meeks*	comic
קוּמְקוּם	*koom**koom***	kettle
קוּמְקוּם תֵּה	*koom**koom** te*	teapot
קוֹף	*kof*	monkey
קֻפְסַת צֶבַע	*koof**sat tze**va*	paint can
קוּרֵי עַכָּבִישׁ	*koo**ray** aka**veesh***	cobweb
קָטָן	*ka**tan***	small
קַטָּר	*ka**tar***	engine
קָיָאק	*ka**yak***	kayak
קַיִץ	***ka**'yeetz*	summer
קִיר	*keer*	wall
קַל	*kal*	easy
קַלֶּטֶת וִידֵאוֹ	*kaletet veedeo*	video
קְלֵמֶנְטִינָה	*klemen**tee**na*	tangerine
קְלָפִים	*kla**feem***	playing cards
קִלְשׁוֹן	*keel**shon***	fork
קֶמַח	***ke**mach*	flour
כַּן צִיּוּר	*kan tzee'**yoor***	easel
קֵן צִפּוֹר	*kan tzee**por***	bird's nest
קֶנְגּוּרוּ	***ken**gooroo*	kangaroo
קִנּוּחִים	*keenoo**cheem***	dessert
קַנָּרִית	*kana**reet***	canary
קַסְדָּה	*kas**da***	helmet
קְעָרוֹת	*ke'**arot***	bowls
קָפֶה	*ka**feh***	coffee
קֻפָּה	*koo**pa***	checkout
קִפּוֹד	*kee**pod***	porcupine
קְפִיצַת רֹאשׁ	*kfeetzat rosh*	diving
קֻפְסָאוֹת שִׁמּוּרִים	*koofsa'**ot** sheemoo**reem***	cans
קֻפְסָה	*koof**sa***	box
קֻפַּת חִסָּכוֹן	*koopat cheesa**chon***	bank
קַצָּב	*ka**tzav***	butcher
קָצָר	*ka**tzar***	short
קַר	*kar*	cold
קָרוֹב	*ka**rov***	near
קָרָוָן	*kara**van***	camper
קָרוֹן נִגְרָר	*ka**ron** neeg**rar***	trailer
קְרוֹנוֹת	*kro**not***	railway cars
קָרוּסֶלָה	*karoo**se**la*	merry-go-round
קַרְחוֹן	*kar**chon***	iceberg
קָרָטֶה	***ka**rateh*	karate
קְרִיקֶט	*kree**ket***	cricket
קְרֶם הֲגָנָה	*krem haga**na***	sunscreen
קַרְנַיִם	*kar**na'**yeem*	horns
קַרְנַף	*kar**naf***	rhinoceros
קַרְפָּדָה	*karpa**da***	toad
בַּקִּרְקָס	*ba-keer**kas***	at the circus
קֶרֶשׁ	***ke**resh*	board
קֶרֶשׁ גִּהוּץ	***ke**resh gee**hootz***	ironing board
קָשֶׁה	*ka**sheh***	difficult, hard
קַשִּׁית	*ka**sheet***	straw
קֶשֶׁת	***ke**shet*	bow
קֶשֶׁת בֶּעָנָן	***ke**shet be'a**nan***	rainbow
קַשָּׁתוּת	*kasha**toot***	archery
ר		
רֹאשׁ	*rosh*	head
רִאשׁוֹן	*ree'**shon***	first
רֹאשָׁנִים	*rosha**neem***	tadpoles
רִבָּה	*ree**ba***	jam
רִבּוּעַ	*ree**boo**'a*	square
רֶגֶל	***re**gel*	leg
רַגְלֵי חַיָּה	*rag**lay** cha'**ya***	paws
רַדְיָאטוֹר	*rad'**ya**tor*	radiator
רַדְיוֹ	***rad**'yo*	radio
רוֹבּוֹט	***ro**bot*	robot
רוֹגְבִּי	***rog**bee*	rugby
רוּחַ	***roo**'ach*	wind
רוֹכְסָן	*roch**san***	zipper
רוֹפֵא	*ro**feh***	doctor - man
רוֹפְאָה	*rof'**ah***	doctor - woman
רוֹפְאַת שִׁנַּיִם	*rof'**at** shee**na'**yeem*	dentist
רָזֶה	*ra**zeh***	thin
בָּרְחוֹב	*ba-r**chov***	in the street
רָחוֹק	*ra**chok***	far
רְחִיצַת מְכוֹנִיּוֹת	*rechee**tzat** mechonee**yot***	car wash
רָטֹב	*ra**tov***	wet
רֹטֶב	***ro**tev*	ketchup
רִיצָה קַלָּה	*ree**tza** ka**la***	jogging
רֵיק	*rek*	empty
רַךְ	*rach*	soft
רַכֶּבֶל	*ra**ke**vel*	chairlift
רַכֶּבֶת	*ra**ke**vet*	train
רַכֶּבֶת הָרִים	*ra**ke**vet ha**reem***	roller coaster
רַכֶּבֶת מַשָּׂא	*ra**ke**vet ma**sa***	freight train
רַכֶּבֶת צַעֲצוּעַ	*ra**ke**vet tza'**atzoo**'a*	train set
רַכֶּבֶת שֵׁדִים	*ra**ke**vet she**deem***	amusement ride
רְכִיבָה לְלֹא אֻכָּף	*rechee**va** le**lo** oo**kaf***	bareback rider
רְכִיבָה עַל אוֹפַנַּיִם	*rechee**va** al ofa**na'**yeem*	cycling
רְכִיבָה עַל סוּסִים	*rechee**va** al soo**seem***	riding
רַמְזוֹר	*ram**zor***	traffic lights, signals
רַע	*ra*	bad
רֶפֶת	***re**fet*	cowshed
רְצוּעָה לְכֶלֶב	*retzoo'**ah** le**che**lev*	leash
רָצִיף	*ra**tzeef***	platform
רִצְפָּה	*reetz**pah***	floor
רַקְדָן	*rak**dan***	dancer - man

רַקְדָנִית	rakdaneet	dancer - woman
רִקּוּד	reekood	dance
רִשּׁוּם	reeshoom	drawing
רֶשֶׁת	reshet	net
רֶשֶׁת בִּטָּחוֹן	reshet beetachon	safety net

ש

שְׁבָבִים	shvaveem	shavings
שְׁבִיל	shveel	path
שִׁבְעָה עָשָׂר/ שְׁבַע עֶשְׂרֵה	sheev'ah asar/ shva esreh	seventeen
שִׁבְעָה/שֶׁבַע	sheev'ah/sheva	seven
שַׁבָּת	shabat	Saturday
שִׁדָּה	sheeda	chest of drawers
שָׂדֶה	sadeh	field
שׁוֹאֵב אָבָק	sho'ev avak	vacuum cleaner
שׁוֹטֵר	shoter	policeman
שׁוֹטֶרֶת	shoteret	policewoman
שׁוּעָל	shoo'al	fox
שׁוֹפֵט	shofet	judge
שׁוּק	shook	market
שׁוֹקוֹ חַם	shoko cham	hot chocolate
שׁוֹקוֹלָד	shokolad	chocolate
שׁוֹשְׁבִינָה	shoshveena	bridesmaid
שְׁזִיף	shezeef	plum
שָׁחוֹר	shachor	black
שְׂחִיָּה	schee'ya	swimming
שַׁחַף	shachaf	seagull
שַׂחְקָן	sach'kan	actor
שַׂחְקָנִית	sach'kaneet	actress
שַׁחַת	shachat	hay
שָׁטִיחַ	shatee'yach	carpet
שִׂיחַ	see'ach	bush
שַׁיִט מִפְרָשִׂיּוֹת	shayt meefrasee'yot	sailing
שֶׁלֶג	sheleg	snow
שְׁלוּלִית	shlooleet	puddle
שֻׁלְחָן	shoolchan	table
שֻׁלְחַן כְּתִיבָה	shoolchan kteeva	desk
שֻׁלְחַן עֲבוֹדָה	shoolchan avoda	workbench
שְׁלֹשָׁה עָשָׂר/ שְׁלֹשׁ עֶשְׂרֵה	shlosha asar/ shlosh esreh	thirteen
שְׁלֹשָׁה/שָׁלוֹשׁ	shlosha/shalosh	three
שְׂמֹאל	smol	left
שְׁמוֹנָה עָשָׂר/ שְׁמוֹנֶה עֶשְׂרֵה	shmona asar/ shmoneh esreh	eighteen
שְׁמוֹנָה/שְׁמוֹנֶה	shmona/shmoneh	eight
שְׂמִיכָה	smeecha	comforter
שָׁמַיִם	shama'yeem	sky
שִׂמְלָה	seemla	dress
שֶׁמֶן	shemen	oil
שָׁמֵן	shamen	fat
שַׁמֶּנֶת	shamenet	cream
שֶׁמֶשׁ	shemesh	sun
שִׁמְשִׁיָּה	sheemsheeya	parasol
שִׁנַּיִם	sheena'yeem	teeth
שְׁנֵים עָשָׂר/ שְׁתֵּים עֶשְׂרֵה	shneym asar/ shtem esreh	twelve
שְׁנַיִם/ שְׁתַּיִם	shna'yeem/ shta'yeem	two
שָׁעוֹן	sha'on	clock
שְׁעוֹן יָד	sh'on yad	watch
שְׁעוּעִית	she'oo'eet	beans
שֵׂעָר	se'ar	hair
שַׁעַר	sha'ar	gate
שָׁפָן	shafan	rabbit
שְׂפָתַיִם	sfata'yeem	lips
שַׂקְנַאי	sakna'y	pelican
שְׂרוֹךְ	sroch	shoelace
שְׁרַפְרַף	shrafraf	stool
שַׁרְקָן	sharkan	guinea pig
שַׁרְשְׁרוֹת נְיָר	sharsherot neyar	paper chains
שִׁשָּׁה עָשָׂר/ שֵׁשׁ עֶשְׂרֵה	sheesha asar/ shesh esreh	sixteen
שִׁשָּׁה/שֵׁשׁ	sheesha/shesh	six

ת

תָּא	ta	locker
תָּא מִטְעָן	ta meet'an	trunk (of a car)
תְּאוֹ	te'o	bison
תֵּבַת כֵּלִים	tevat keleem	toolbox
תָּג	tag	badge
תֵּה	te	tea
תּוֹלַעַת	tola'at	worm
תּוּת שָׂדֶה	toot sadeh	strawberry
תִּזְמֹרֶת	teezmoret	band
תַּחְבֹּשֶׁת	tachboshet	bandage
תַּחֲנַת הָרַכֶּבֶת	tachanat ha-rakevet	railway station
תַּחְפֹּשֶׂת	tachposet	costumes
תַּחְתּוֹן	tachton	bottom
תַּחְתּוֹנִים	tachtoneem	pants
תַּחְתִּיּוֹת	tachteeyot	saucers
תִּינוֹק	teenok	baby
תִּיק	teek	purse
תֻּכִּי	tookee	parrot
תֻּכִּי גַּמָּדִי	tookee gamadee	parakeet
תְּלַת אוֹפַן	tlat ofan	tricycle
תְּמוּנוֹת	tmoonot	pictures
תַּמְרוּר	tamroor	signpost
תַּנּוּר בִּשּׁוּל	tanoor beeshool	stove
תַּנִּין	taneen	crocodile
תְּעָלָה	te'ala	canal
תַּפּוּז	tapooz	orange (fruit)
תַּפּוּחַ	tapoo'ach	apple
תַּפּוּחֵי אֲדָמָה	tapoochay adama	potatoes
תַּפּוּצ'יפְּס	tapoocheeps	chips
תֻּפִּים	toopeem	drums
תַּצְלוּמִים	tatzloomeem	photographs
תַּקְלִיטוֹר	takleetor	CD
תִּקְרָה	teekra	ceiling
תֶּרֶד	tered	spinach
תְּרוּפָה	troofa	medicine
תְּרִיס	treess	blinds
תַּרְמִיל	tarmeel	backpack
תַּרְנְגוֹל	tarnegol	rooster
תַּרְנְגוֹלוֹת	tarnegolot	hens
תַּרְנְגוֹלֵי הֹדּוּ	tarnegolay hodoo	turkeys
תִּשְׁעָה עָשָׂר/ תְּשַׁע עֶשְׂרֵה	teesh'ah asar/ tsha esreh	nineteen
תִּשְׁעָה/תֵּשַׁע	teesh'ah/tesha	nine